D1430146

C'EST une QUESTION de VIE et de MORT

Édition : Catherine Bédard
Infographie : Johanne Lemay
Révision : Brigitte Lépine
Correction : Isabelle Pauzé et Odile Dallaserra

Catalogage avant publication de Bibliothèque et Archives nationales du Québec et Bibliothèque et Archives Canada

Titre: C'est une question de vie ET de mort : réflexions d'un médecin pour apprivoiser sereinement le grand départ / Dr Gaétan Brouillard.
Noms: Brouillard, Gaétan, auteur.
Identifiants: Canadiana 20200070045
| ISBN 9782890449176
Vedettes-matière: RVM: Mort.
| RVM: Vie—Philosophie. | RVM: Peur de la mort.
| RVM: Immortalité.
Classification: LCC BD444.B76 2020
| CDD 128/.5—dc23

DISTRIBUTEURS EXCLUSIFS :

Pour le Canada et les États-Unis :
MESSAGERIES ADP inc.*
Téléphone : 450 640-1237
Internet : www.messageries-adp.com
* Filiale du Groupe Sogides inc.,
filiale de Québecor Média inc.

Pour la France et les autres pays :
INTERFORUM editis
Téléphone : 33 (0) 1 49 59 11 56/91
Service commandes France Métropolitaine
Téléphone : 33 (0) 2 38 32 71 00
Internet : www.interforum.fr
Service commandes Export – DOM-TOM
Internet : www.interforum.fr
Courriel : cdes-export@interforum.fr

Pour la Suisse :
INTERFORUM editis SUISSE
Téléphone : 41 (0) 26 460 80 60
Internet : www.interforumsuisse.ch
Courriel : office@interforumsuisse.ch
Distributeur : OLF S.A.
Commandes :
Téléphone : 41 (0) 26 467 53 33
Internet : www.olf.ch
Courriel : information@olf.ch

Pour la Belgique et le Luxembourg :
INTERFORUM BENELUX S.A.
Téléphone : 32 (0) 10 42 03 20
Internet : www.interforum.be
Courriel : info@interforum.be

04-20

Imprimé au Canada

Dépôt légal : 2020
Bibliothèque et Archives nationales du Québec

ISBN (version papier) 978-2-89044-917-6
ISBN (version numérique) 978-2-89044-918-3

Gouvernement du Québec – Programme de crédit d'impôt pour l'édition de livres – Gestion SODEC
www.sodec.gouv.qc.ca

L'Éditeur bénéficie du soutien de la Société de développement des entreprises culturelles du Québec pour son programme d'édition.

Conseil des arts du Canada | Canada Council for the Arts

Nous remercions le Conseil des arts du Canada de l'aide accordée à notre programme de publication.

Financé par le gouvernement du Canada
Funded by the Government of Canada | Canada

Nous reconnaissons l'aide financière du gouvernement du Canada par l'entremise du Fonds du livre du Canada pour nos activités d'édition.

Dr GAÉTAN BROUILLARD

C'EST une QUESTION de VIE et de MORT

Réflexions d'un médecin pour apprivoiser sereinement le grand départ

Le jour

La mort n'est pas une porte qui se ferme douloureusement. On ouvre simplement de nouveau une porte connue, mais oubliée. Vous êtes immortel, seul le lieu change. La vie continue...

Que ces révélations originales ou inhabituelles sur la vie et la mort trouvent écho dans votre vie.

À toute la grande famille humaine, mes frères et sœurs
qui cheminent sur cette plate-forme d'évolution
que l'on appelle la planète Terre et qui me permettent,
un peu plus chaque jour, d'avancer
un peu plus loin sur le sentier.

Introduction

De nos jours, la médecine ne se limite plus à la simple mécanique du corps. À l'instar de la science moderne, qui reconnaît que nous évoluons dans un monde électromagnétique et d'énergies multiples constitué d'énergie, la médecine globale reconnaît que corps, mental et esprit forment un tout indissociable et intègre, par conséquent, les dimensions physique, psychique et spirituelle de l'Homme. Dans le jargon scientifique, on la désigne d'ailleurs sous le vocable de « psycho-neuro-immuno-endocrinologie », laissant ainsi entrevoir l'interrelation qui existe entre la psyché et les différents systèmes qui composent le corps. C'est également une médecine holistique de haut niveau d'intégration qui propose des interventions non médicamenteuses et non chirurgicales, ce qui complémente avantageusement notre médecine actuelle.

C'est dans cet esprit que j'ai écrit en 2015 *La santé repensée*, puis en 2017 *La douleur repensée*, deux livres qui ont connu du succès et ont été traduits en plusieurs langues, ce qui témoigne de l'intérêt croissant des gens à prendre en main leur santé et leur vie. J'avais à l'époque expliqué à mon éditrice qu'ils étaient les premiers tomes d'une trilogie dont vous tenez l'aboutissement entre vos mains. Ces trois volumes s'inspirent tous de la médecine UNE, une médecine globale et intégrative au service de l'Homme qui se conscientise. Conséquemment, elle s'intéresse à plusieurs domaines : chirurgie, médication, compléments, plantes, nutrition, thérapie manuelle, ostéopathie, massage, acupuncture, yoga, éducation en santé physique, psychologique et spirituelle.

Au départ, je ne savais pas avec certitude quel serait le sujet de ce troisième volume. Mais plus le temps avançait et plus les gens me questionnaient sur ce monde dans lequel nous vivons et que nous quitterons tous un jour, où tant de phénomènes singuliers, insolites et inhabituels font de plus en plus irruption sans que nous puissions les expliquer ; ce monde qui deviendra tellement différent le jour où nous en aurons saisi toutes les dimensions, la beauté, l'immensité et l'éternité. Tout est coïncidences et corrélations ; la vie nous envoie des messages. J'ai ressenti une poussée, un élan me confirmant que le prochain livre traiterait d'un sujet délicat, mais ô combien important puisqu'il nous concerne tous, jeunes et moins jeunes, maintenant et pour toujours. Il me fallait, pour continuer à parler de la vie, écrire sur la mort.

Est-il vrai que l'on ne peut parler de la vie sans parler de la mort ? Réfléchir à la mort serait-il le secret de la vie ? La plupart du temps, nous associons la fin de la vie à la grande faucheuse. Nous avons peur de la séparation que provoque la mort, peur de l'inconnu, peur de disparaître, peur de laisser nos amis et les membres de notre famille, peur de laisser nos biens et...

notre corps car, hélas !, nous nous y sommes attachés avec le temps et nous nous sommes identifiés à lui. Cette peur et cet attachement ne font que prolonger indûment le temps que nous mettons à quitter notre enveloppe charnelle et, par le fait même, amplifient détresse, chagrin et souffrance. Mais l'humain n'est-il pas davantage qu'un simple amas de chair ? Qu'est-ce que la vie et quel en est le sens ?

Je me suis dirigé en médecine pour connaître l'Homme, pour déchiffrer sa complexité mais aussi pour apporter un soutien, pour aider, pour lutter contre la maladie, repousser la mort et, pourquoi pas, redonner la vie. Lorsque j'ai commencé ma pratique médicale dans les années 1970, la fin de vie était un sujet tabou. Dans la formation que je venais de terminer, ce sujet n'avait pas sa place. Même dans la vie de tous les jours, on en parlait peu. Pour le jeune médecin que j'allais devenir, il valait mieux ne pas trop y penser. Heureusement, avec le temps, les choses ont changé.

On parle beaucoup, depuis quelques années, de refus de traitement, de refus d'acharnement thérapeutique, d'euthanasie, de suicide assisté, de sédation terminale et de « mourir dans la dignité ». En 2009, l'Assemblée nationale du Québec créait d'ailleurs une commission chargée d'étudier la question du droit de mourir dans la dignité. Bravo, un pas dans la bonne direction ! Depuis 10 ans, l'expression « mourir dans la dignité » est devenue à la mode, principalement pour parler de la dégradation du corps physique et des événements psychologiques et douloureux qui entourent la fin de vie. C'est elle qui m'a donné envie d'écrire sur la vie et la mort.

Il m'apparaît en effet difficile de mourir dans la dignité si notre vie ne s'est pas déroulée dans cette même dignité. Je crois fermement que mourir dignement ne sera véritablement possible que le jour où nous aurons mieux compris en quoi consiste la vie. Se questionner sur la fin de vie, c'est se questionner sur la vie elle-même, car les deux forment un tout indissociable. Ils forment les deux faces de la même médaille. S'interroger sur la vie permet donc de connaître un peu mieux la mort, tout comme se questionner sur la mort nous révèle les secrets de la vie. Il sera alors plus facile, pour les aidants qualifiés, d'apporter le réconfort tant recherché. Le sens de **mourir dans la dignité** prendra sa signification véritable autant pour le soignant que pour le mourant.

Même si nous vivons dans un monde de consommation rapide et de prêt-à-jeter, il ne nous est pas possible d'escamoter la mort pour passer vite fait à quelque chose de plus stimulant, de la banaliser. **On ne peut en finir très vite avec la mort ; c'est un sujet qui demande profondeur et réflexion**. Notre vie se définit en partie par la manière dont elle se termine, c'est pourquoi il faut nous en soucier maintenant, et ce, quel que soit notre âge.

Peu importe ce que nous pensons de la mort, comment nous l'imaginons ou les croyances qui sont les nôtres ; le doute et les inquiétudes qu'elle suscite peuvent faire énormément souffrir. La morphine se répand, mais la douleur persiste. La quiétude de façade ne tient pas le coup, les diplômes ne valent plus rien, les mots sont hésitants, la souffrance domine et la peur envahit tout. La mort n'a rien d'abstrait; quand elle survient, elle prend toute la place. Le temps n'est plus au babillage, ni aux joutes verbales, mais plutôt à la sérénité et à la paix de l'esprit.

Ils sont nombreux ceux qui regrettent, juste avant le dernier long sommeil, d'avoir raté leur vie ou de ne pas en avoir fait assez, ou encore qui se retrouvent au sein d'une controverse qui les fait souffrir davantage. Il est très difficile de mourir dignement dans la tempête, quand les pensées sont comme un singe qui saute de branche en branche sans pouvoir se poser. Dans les derniers moments, sur un lit proche de l'éternité, il devient difficile de trépasser, habité par des inquiétudes terrestres. Précipiter les choses pour conserver quelque dignité le jour du grand départ risque tout autant de secouer, d'ébranler, de briser. Je ne voudrais pas que ce moment soit vécu de façon pénible par vous et vos proches. Le sens de la vie n'est pas un baratin inutile, il vaut mieux nous pencher sur la question alors que nous sommes en santé et dans la fleur de l'âge.

La vie et la mort sont un mystère dont il nous incombe à tous de percer les secrets car, un jour prochain, peu importe notre âge, il nous faudra quitter ce corps et ce monde. Mourir ne saurait avoir de sens si nous ne savons pas qui nous sommes ni ce que nous sommes venus accomplir, et encore davantage si nous ne savons pas ce qu'est la Vie, *notre* vie. Voilà la tâche spirituelle qui nous incombe à tous, et ce, peu importe notre appartenance religieuse. Pouvons-nous répondre adéquatement aux questions suivantes : qui sommes-nous véritablement ? Qu'est-ce que la Vie ? Qu'est-ce que *ma* vie ? Prenons quelques heures ensemble, vous et moi, afin de faire le point, d'évaluer notre vie et ce que nous en faisons.

Depuis toujours, l'Homme a tenté de résoudre l'énigme de sa présence sur Terre, sans jamais y parvenir avec certitude. Comme plusieurs d'entre vous, voilà des dizaines d'années que je poursuis des recherches sur la vie, la mort, le pourquoi de ma présence sur Terre et le célèbre et éternel « Qui suis-je ? ». Mais l'idée mécaniste de notre évolution et de notre composition purement matérielle, que nous acceptions si couramment avant, s'effrite ou ne suffit plus. Nos croyances, nos convictions et la tranquillité d'esprit d'autrefois, semblables à un long fleuve qui s'écoulait lentement, sont fortement ébranlées. Nous faisons face à un vent de changement quant à ce qui explique ou justifie notre présence sur Terre. Nous entrons dans une ère de transformation, de renouvellement et de réconciliation, pour ne pas dire de révolution. Tout se bouscule sur la planète et l'Homme doit reprendre contact avec ses racines et ses valeurs authentiques. Cette remise en cause de ce que nous estimions acquis nous oblige à cheminer dans le doute, mais à cheminer tout de même. Il nous faut unifier ce que la sagesse du passé nous a légué et ce que la science moderne nous offre, car le sens et la sérénité de notre vie en dépendent.

Au cours des années qui viendront, la science apportera des réponses à certaines de nos questions. Pour l'instant, il nous faut continuer à aller de l'avant et à faire de notre mieux pour développer l'art de mourir dignement, de même que celui de mourir « scientifiquement ». Et si, au terme de votre lecture, je parviens ne serait-ce qu'un peu à dissiper en vous la peur de la mort, vous serez gagnant car c'est votre peur de la vie elle-même qui se sera atténuée. Votre existence deviendra plus légère et vous serez davantage disposé à accueillir ce qui s'offrira à vous. L'idée n'est pas de vous faire miroiter un monde de fantaisie dissocié de la réalité, mais bien d'ouvrir votre esprit à de nouvelles possibilités, dont certaines jouissent déjà d'une certaine reconnaissance, et d'accepter bien humblement que nous n'avons pas toutes les réponses face au mystère que la mort constitue.

En terminant, je tiens à préciser que ce n'est pas à titre de médecin du corps physique que je vous propose cette quête sur la vie et la mort. C'est plutôt l'homme, Gaétan Brouillard, qui s'adresse à vous, un homme qui pratique la médecine comme une science et tout autant comme un art de bien vivre, une philosophie de la vie s'ouvrant sur une véritable santé globale, mais également un homme qui s'intéresse à tous les mystères de la vie, quels qu'ils soient, un homme sans cesse à la recherche de réponses. La vie est d'une telle perfection et d'une telle richesse que je n'ai pu encore l'appréhender que très partiellement. Que de défis médicaux, éthiques, moraux et spirituels à relever pour contribuer à rendre le monde meilleur !

Voilà de quoi il sera question dans les pages qui suivent. J'espère qu'elles sauront jeter un peu de lumière sur votre quotidien. Car, après tout, **c'est bel et bien d'une question de vie et de mort qu'il s'agit.**

1

Entre médecine et philosophie

« Nous venons d'ailleurs et nous irons ailleurs.
Entre les deux, il y a les expériences de vie. »

La vie humaine est un grand mystère. Nous naissons, vivons un certain temps, puis nous nous éteignons lorsque la machine flanche. Mais est-ce bien tout ? La vie peut-elle être aussi banale, futile et superficielle ? Je me suis souvent questionné à ce sujet. Il me semble en effet absurde de penser que la vie humaine se limite à celle du corps. Est-ce que tout s'arrête réellement lorsque celui-ci meurt ? Y a-t-il quelque chose à l'intérieur de cette coquille, un occupant ou une présence que nous ne voyons pas mais qui ferait partie de la vie même ? Dès le IVe siècle avant Jésus-Christ, Platon avait proclamé la dignité de l'Homme ainsi que son immortalité, et qualifiait le corps comme un obstacle à l'épanouissement de l'âme. Il voulait que l'Homme détourne son attention du corps et regarde à l'intérieur ce quelque chose de plus grand qu'il appelait l'âme. Mais nous semblons depuis l'avoir oublié.

Ne gagnerait-on pas à rouvrir ce dialogue entre la médecine et la philosophie ?

CONTINUER À LAISSER PARLER SA TÊTE...

On nous a appris à rationaliser, à mentaliser, à souscrire aveuglément à la science. On nous a enseigné à attendre que la science nous dise quoi et comment faire. Toutes les idées largement véhiculées, nous les accueillons à bras ouverts. Notre jugement se met sur pause et nous adhérons volontiers à ce que la société nous dicte. Et lorsque vient le temps de donner notre appréciation sur un sujet plus épineux, nous le faisons du bout des lèvres, nous restons en surface non par paresse ou par lâcheté, mais parce que notre subconscient, rempli de notions venues d'ailleurs, nous dicte idées et croyances, laissant peu de place à notre propre réflexion et à notre savoir.

Le saviez-vous ? Il semble en effet que la quasi-totalité de nos comportements et de nos réflexions sont issus du subconscient[1], lui-même composé de ce que la société, notre éducation, nos parents et nos ancêtres nous ont légué. Notre mémoire cérébrale a été imprimée, brûlée telle une plaque photographique par tout ce que nous avons vu, entendu et ressenti. Ainsi, si un chien vous a mordu à l'âge de deux ans, vous serez tenté d'affirmer que tous les chiens sont mauvais. Et même si

1. Daniel Goleman, « New view of mind gives unconscious an expanded role », *The New York Times*, 7 février 1984, p. C-1. En ligne : www.nytimes.com/1984/02/07/science/new-view-of-mind-gives-unconscious-an-expanded-role.html.

vous n'avez jamais été mordu mais que votre mère, griffée un jour par l'un d'eux, vous a dit que les chiens sont mauvais, vous avez fait vôtre cette vérité personnelle. Vous avez intégré cette affirmation, cette pseudo-vérité qui fait maintenant partie de votre réalité. Pour le restant de votre existence, vous porterez ce bagage qui ne vous appartient pas. Nous voici dans de beaux draps, notre mémoire barbouillée et colorée par les expériences des autres !

Par le passé, nous avons appris beaucoup et maintenant que nous savons beaucoup, nous doutons aussi beaucoup de nous-mêmes. Nous accordons beaucoup trop d'importance à ce que nous appelons notre mental, aux mécanismes de l'esprit humain (*mind*), à nos facultés intellectuelles et psychiques. Assurément, le mental, qui présente un certain degré d'intelligence, nous permet d'être plus fonctionnels pour réaliser nos tâches quotidiennes. Mais il est aussi usurpateur et même malfaisant. **Le mental humain et les pensées sont en fait les mécanismes les plus dissonants et discordants de notre corps.** Ils sèment la confusion chez chacun de nous, ils sont sources de problèmes sur la planète entière et probablement à l'origine de tous les grands cataclysmes humanitaires que nous avons connus jusqu'à ce jour.

Difficile d'être soi-même dans une telle situation. Difficile de refaire une photo nouvelle estampillée par-dessus la première impression qui nous a marqués. Pourtant nous n'avons pas le choix, sinon nous risquons de demeurer toute notre vie une copie fidèle de l'enfant que nous étions ou celle des personnes qui nous ont précédés. C'est un travail de tous les jours, un exercice salutaire qui permettra de réaliser qui nous sommes réellement et de redéfinir des notions comme celles de la vie et de la mort. Nous devons nous ouvrir à tous les événements et à toutes les nouvelles notions qui se présentent et les aborder comme si c'était la première fois, en nous posant des questions et en y prêtant réflexion. Il nous faut redéfinir notre vie, qui nous sommes, notre présence sur Terre, d'où nous venons, où nous allons et où nous irons. Nous avons ce devoir de chercher, et d'accepter aussi ce que notre cœur nous dit.

OU... SUIVRE SON CŒUR ?

Écoutez votre cœur, ce cœur qui bat toujours : vous êtes vivant ! Indubitablement, le cœur est le centre de notre corps. Nous devons apprendre à délaisser notre tête, ce mental critique, analytique et usurpateur, au profit de notre cœur. **Laisser parler le cœur plutôt que le mental apporte plus de bonté et de sagesse.**

Nous savons aujourd'hui que le cœur est rempli de cellules nerveuses ; en tant que glande endocrine, il libère des hormones qui influencent tout le corps. Cet organe renferme d'innombrables cellules nerveuses avec une capacité électromagnétique beaucoup plus puissante que le cerveau. Ces dernières années, la science a démontré que le plus grand chef d'orchestre de ce petit univers qu'est notre corps physique n'est pas le cerveau, mais bel et bien le cœur. Avec des appareils sensibles, on peut observer que le champ magnétique d'un cœur se fait sentir à quelques mètres du corps qui l'abrite[2]. D'ailleurs, nous percevrions les gens beaucoup plus par notre cœur magnétique que par nos yeux[3]. Notre sympathie ou notre antipathie pour une personne naît donc souvent en dehors de notre état conscient : c'est le cœur qui voit et ressent d'abord.

Le cœur est lié à toutes les cellules du corps. À sa façon, il sait exactement ce qui se passe dans chacun de nos organes : tout ce que nous ressentons affecte aussitôt la force et la régularité du rythme cardiaque. Les paroles reçues, les émotions vécues et les pensées influencent constamment le cœur dans sa globalité physique et électromagnétique. Il n'est pas étonnant que la colère provoque une augmentation de plus de 200 % des maladies cardiaques[4] !

Toutes nos émotions sont donc automatiquement perçues par le cœur. Même ces émotions furtives qui semblent anodines font vibrer constamment le cœur de façon incohérente. Ce n'est pas par hasard que votre cœur manque constamment de cohérence, et que la pratique de la cohérence cardiaque avec la respiration est si primordiale. Nous devons apaiser et

---

2. G. Baule et R. McFee, « Detection of the magnetic field of the heart », *American Heart Journal,* vol. 66, n° 1, 1963, p. 95-96.
3. R. McCraty, *The Energetic Heart : Bioelectromagnetic Interactions Within and Between People,* Boulder Creek (Calif.), Institute of HeartMath, 2003. DOI : 10.12744/tnpt(6)022-043.
4. M. A. Mittleman et coll., « Triggering of acute myocardial infarction onset by episodes of anger », *Circulation,* vol. 92, n° 7, 1995, p. 1720-1725. DOI : 10.1161/01.cir.92.7.1720 ; R. Lampert et coll., « Emotional and physical precipitants of ventricular arrhythmia », *Circulation,* vol, 106, n° 14, 2002, p. 1800-1805. DOI : 10.1161/01.cir.0000031733.51374.c1.

« consoler » notre cœur beaucoup plus souvent que nous le pensons.

L'IMPORTANCE DES CONTACTS HUMAINS

Nous avons abordé en détail dans *La santé repensée* les travaux du Japonais Masaru Emoto sur la qualité morphologique de l'eau. En résumé, ses recherches ont démontré que les émotions, les ressentiments ou les paroles disgracieuses provoquent une dysmorphie des molécules d'eau qui composent l'être humain[5]. Selon lui, il n'y a pas une émotion, une parole et encore moins une action qui n'ait de répercussion sur soi ou sur autrui. Les beaux cristaux d'eau ne peuvent plus se former en présence de pensées négatives. L'énergie, aussi subtile soit-elle, affecte ou infecte tout notre environnement interne et externe. Les émotions perverses désynchronisent le cœur et, par ricochet, le système nerveux et physique. Lorsque le synchronisme est détruit, c'est tout le corps qui est perdant.

Nous évoluons avant tout dans un monde de relations. De là l'importance d'aborder les gens qu'on rencontre avec bienveillance. Les relations humaines demeurent le meilleur outil de soutien et même thérapeutique devant toute maladie ou mort prochaine. Le contact humain constitue un excellent traitement à bien des maux de nos sociétés contemporaines dotées

---

5. Masaru Emoto, *Les messages cachés de l'eau : âme, eau, vibration, leurs fabuleux pouvoirs*, Paris, J'ai lu, 2014 ; *Le miracle de l'eau*, Paris, Guy Trédaniel éditeur, 2015 ; *Le pouvoir guérisseur de l'eau*, Paris, Guy Trédaniel éditeur, 2012.

de hautes technologies. Il est impératif que nous, médecins, prenions plus de temps pour écouter et accordions une place prépondérante à l'examen physique manuel de nos patients, alors que les bilans biochimiques et d'imagerie pourront complémenter avec justesse l'impression diagnostique. Peu importe le métier que nous exerçons, ce seront toujours nos relations personnelles qui généreront satisfaction, une meilleure santé et une espérance de vie majorée. Quant aux relations distordues, elles sont probablement à l'origine de nombreuses maladies et de décès, par le fait même. C'est ce que nous enseigne une approche psycho-neuro-endocrino-immunologique de la médecine.

Il est intéressant de constater l'impact bien réel du lien humain dans les « Blue Zones », ces endroits où on trouve de hautes concentrations de centenaires en bonne santé, sans maladies cardiovasculaires, obésité, cancer et démence, ou si peu[6]. C'est le cas à Okinawa au Japon ou à Ikaria en Grèce, notamment. Il a été prouvé que de saines habitudes de vie, une alimentation naturelle et l'empreinte communautaire et familiale sont à l'origine d'une longévité accrue. La retraite n'existe à peu près pas en ces lieux et le travail est source de valorisation. Le contact humain et le travail y sont donc des facteurs prépondérants pour vivre vieux et en santé.

La chaleur humaine fait toute la différence, tant en médecine que dans les différents aspects du quotidien. Avant toute

---

6. Dan Buettner, *The Blue Zones Solution : Eating and Living Like the World's Healthiest People*, Washington, D.C., National Geographic, 2015.

relation, communication ou présentation, prenons un temps d'intériorisation afin de donner le meilleur de nous-mêmes pour le bien d'autrui. Planifier consciemment le déroulement d'une journée assure des rencontres bienveillantes autant pour soi que pour les invités qui se présenteront. Lorsque je me prépare pour une journée en clinique, je prends soin d'arriver avant mes hôtes, je « place » l'énergie de la journée qui débute et ma première pensée se résume à ceci : tout au long de cette journée, je ferai une différence significative et positive pour chaque personne que je rencontrerai. Qu'est-ce que je peux faire naître chez autrui pour que sa journée soit enrichie et plaisante ? Après tout, la valeur de la vie ne se résumerait-elle pas à apporter la joie à quelqu'un d'autre ?

AU-DELÀ DU CORPS

S'interroger sur sa propre nature est le propre de l'Homme et il en a toujours été ainsi. D'éminents sages de tout temps, comme Jésus, Bouddha, Pythagore ou Platon, en ont proclamé la nécessité. Bien avant nous, Socrate, un chercheur inlassable, a décrété : « Homme, connais-toi toi-même. » C'était une invitation à l'introspection et à la connaissance de soi. Il affirmait que la vie ne valait pas la peine d'être vécue sans un travail sur soi.

L'Homme est doté d'une conscience individuelle. En soi, cette faculté fait de lui un être prodigieux, rare, qui ne peut être défini uniquement par l'enveloppe primitive et rudimentaire que nous appelons le corps physique. L'Homme doit cesser de s'identifier simplement à cette corporéité, à cette enveloppe qui n'est qu'une facette limitée de son être. Il est un produit élaboré d'une structure encore plus grande et merveilleuse que nous appelons l'univers. Mais qui sommes-nous donc, dans cet univers ? On cherche, on scrute partout, mais on ne trouve rien à l'extérieur. Peut-être est-ce alors plus près de nous, voire en nous, qu'il faut chercher.

2

La vie n'est pas le fruit du hasard

« Nous attirons ce que nous pensons. »

« L'idée que l'ordre et la précision de l'univers, dans ses aspects innombrables, seraient le résultat d'un hasard aveugle est aussi peu crédible que si, après l'explosion d'une imprimerie, tous les caractères retombaient par terre dans l'ordre d'un dictionnaire. » Formulée par le grand physicien Albert Einstein, cette réflexion ne peut nous laisser indifférents. Rien n'arriverait donc par hasard. Absolument rien ne serait le fruit de la chance ou de la malchance. Tout arriverait en son temps, que ce soit les saisons ou les orbites planétaires, réglé dans la plus grande minutie. Tout serait donc synchronisme.

La migration des oiseaux, la valse des petits poissons qui font des prouesses dans toutes les directions, rien dans le règne animal n'est laissé au hasard. Pourquoi en serait-il autrement pour l'être humain ? Mais l'Homme a perdu sa connexion, il se croit séparé de la nature et de l'univers. En nous vivent pourtant dans le plus grand synchronisme cent mille milliards de cellules, issues d'une seule et même cellule, au départ, pour assurer notre santé. Quel miracle s'opère en nous à toute heure du jour et de la nuit sans que nous en prenions conscience ! Mais nous sommes trop concentrés sur le tourbillon de soucis, d'inquiétudes et d'activités qui constitue notre quotidien et n'a, au final, rien à voir avec notre nature profonde. Reconnaître cette appartenance universelle ferait pourtant de nous des êtres beaucoup mieux intégrés et harmonieux. À l'inverse, la non-reconnaissance de cette communion électromagnétique risque de nous mener à la dérive.

LE SYNCHRONISME DE LA VIE VOUS GUIDE

Les gestes que vous posez, que ce soit intuitivement ou à la suite d'une recommandation, vous permettent de faire un pas de plus dans la direction que la vie veut vous dévoiler. Tous ces petits bonds, toutes ces petites impulsions qui vous font avancer dans une direction ne sont pas le fruit du hasard. La vie qui coule est un tissage, un réseau qui nous englobe et que nous parcourons, inconscients. La vie nous tresse un chemin personnalisé et parfaitement adapté. Hélas ! trop souvent nous passons à côté, égarés dans le tumulte de la vie moderne.

Un exemple de ce parfait synchronisme ? Il y a plus de 10 ans, une dame fort sympathique me consulta pour un problème de santé. À la fin de nos rencontres, elle me laissa sa carte professionnelle : elle était directrice des communications aux Éditions de l'Homme. J'avais déposé cette carte dans mon premier tiroir, tout bonnement, car l'idée d'écrire un livre était loin de mes préoccupations immédiates et même futures. Quelques années plus tard, je décidai d'écrire pour diffuser à plus grande échelle et plus en détail certaines connaissances acquises en santé et, surtout, dans des domaines autres que la pharmaceutique. Je voulais en faire profiter les gens désireux de prendre leur santé en main. Le manuscrit presque terminé, je m'interrogeai : vers quelle maison d'édition me tourner ? J'ouvris le tiroir où j'avais remisé la carte professionnelle quelques années plus tôt, je fouillai avec empressement et, enfin, je la tins dans mes mains. Je composai le numéro de téléphone indiqué. Au bout du fil, une voix aimable me répondit et me reconnut. Elle me dit qu'elle quittait sous peu son poste pour la retraite, mais m'adressa avec enthousiasme à une collègue qui pourrait éditer mon livre.

Puis vint le temps de penser à la préface. J'avais rencontré Guy Corneau à deux reprises, une fois lors d'un souper intime et une autre lors d'une conférence. Je l'ai ensuite revu dans le cadre de l'une de ses propres conférences. À la fin de celle-ci, j'allai à sa rencontre et lui demandai s'il voulait bien signer la préface de mon premier livre. Dans sa grande générosité, il acquiesça aussitôt. Au moment de lui remettre une copie du manuscrit, qu'il souhaitait lire au complet, il me dit qu'il me retournerait la préface six semaines plus tard. Il devait quitter pour l'île de Pâques ; le temps passé en avion serait idéal pour lire le livre et rédiger la préface. Je lui remis mon manuscrit avec enthousiasme.

Entre-temps, je continuai à voir mes patients. Le propriétaire d'une boulangerie fameuse à Laval vint au bureau pour que j'examine son épaule douloureuse. À la fin du traitement, il me dit : « Ha ! J'oubliais, j'ai rencontré quelqu'un en avion alors que je me rendais en Floride. Je ne me souviens pas de son nom, mais je crois qu'il était dans la psychologie… Nous avons échangé. » Ce boulanger m'a ensuite raconté comment, après 10 minutes de discussion, son voisin de siège lui avait dit qu'il allait devoir travailler parce qu'un médecin lui avait remis un volume pour qu'il en rédige la préface. Guy avait cependant ajouté :

— En passant, comme tu habites à Laval, tu devrais rencontrer ce médecin, il est formidable.

— C'est gentil de votre part, répondit le boulanger, mais j'en ai déjà un très bon.

— Mais tu serais enchanté de rencontrer ce médecin, il s'appelle Dr Brouillard.

— Mais c'est déjà mon médecin !

Guy était en transit en Floride pour l'île de Pâques. Il a non seulement fait une préface élogieuse, mais il s'est donné la peine de faire des corrections et des suggestions. Avec tous ces éléments réunis, le livre est devenu un best-seller. Je ne pourrai jamais remercier assez Guy pour son accueil et son appui des plus altruistes. Malgré son départ prématuré pour l'autre monde, je suis convaincu que sa présence bienveillante est encore avec nous.

Cet épisode personnel montre bien qu'à partir du moment où j'ai décidé d'écrire sur la vie et sa continuité, les astres se sont alignés de façon incroyable : des gens qui avaient eu des expériences à ce sujet croisaient mon chemin, des colloques s'organisaient aux alentours de ma région, des relations se développaient chaque jour comme par magie. J'étais stupéfait de voir le rythme et les mouvements s'harmoniser en un tout surprenant. Je crois fermement que nous pouvons créer le monde dont nous rêvons et que la vie elle-même nous offre des opportunités pour parvenir à nos fins. En un sens, la vie est un jeu dont nous sommes les acteurs et notre rôle est d'y jouer au meilleur de nous-mêmes. Le seul hic est que nous avons oublié d'où nous venons et quel est notre personnage, surtout lorsque ce dernier est pénible ou douloureux à interpréter.

On ne peut connaître avec précision la direction que prendra notre vie. Il peut arriver que le chemin devienne hasardeux par moments ou qu'il présente des embûches. Une rose, si belle soit-elle, n'a-t-elle pas quelques épines le long de sa tige ? Nos relations sont importantes, elles ont toutes quelque chose à nous apprendre. Tout s'influence sans cesse, et ce, sans que l'on en ait conscience ou qu'on y consente. Il est toutefois possible de donner une certaine direction aux événements puisque nous sommes à la barre, comme nous allons le réaliser plus loin.

Un dernier exemple de synchronisme, pour en finir sur le sujet ? Vous vous êtes procuré une copie de ce livre : bravo ! Ce simple choix fait partie du chemin qui vous est propre ; qui sait, peut-être pourra-t-il modifier et enrichir votre vie ? Il faut l'espérer puisque tout s'agence pour le mieux.

LA GRANDE LOI DE L'ATTRACTION

La vie se déroule donc selon un plan. L'univers a une direction, ainsi que notre vie. Mais voilà que les choses se compliquent : par son libre arbitre et surtout son mental indiscipliné et ses pensées discursives, l'Homme brouille les cartes. Il veut agir seul et contrôler. Ses pensées sont souvent remplies d'égocentrisme, de peur et de multiples émotions négatives et il a oublié une loi fondamentale de l'univers dans lequel il vit : la loi de l'attraction. Je crois que la loi de l'attraction est l'une des plus fondamentales sur notre planète. Il n'y a pas de place pour le hasard. Tout est à sa place exacte en raison de cette force opérante. Selon l'une des acceptions de cette loi, nous attirons ce qui nous arrive.

Un exemple ? Vous cherchez un élément oublié et voilà que vous ouvrez le livre à la bonne page « comme par hasard ». J'ai toujours été étonné de réaliser que mes formations médicales à l'étranger finissaient précisément par aider les patients que je rencontrais le lundi matin suivant mon retour au travail. Comme par hasard, cette journée était remplie de ces conditions thérapeutiques pour lesquelles je venais tout juste d'être formé. Ces patients avaient pris ces rendez-vous des mois d'avance, et ce, sans savoir que j'allais acquérir ces nouvelles connaissances qui les aideraient. Et ce cas de figure était régulier. C'est comme si l'univers me dirigeait vers certaines formations pour m'aider à résoudre des problèmes que je rencontrerais dans le futur.

J'ai expliqué dans *La santé repensée* comment la découverte de la pénicilline par Alexander Fleming, considérée comme une découverte attribuée au «hasard», était en réalité le fruit de circonstances orchestrées par l'univers lui-même. Plus nous aurons conscience de l'existence de la loi de l'attraction, plus celle-ci se manifestera dans notre vie. Pour cela, il faut nous identifier de plus en plus à cette conscience quantique non localisée et non matérielle, à cette énergie omniprésente dans laquelle nous baignons et qui agit dans tout l'univers. Nous devons faire confiance à la vie, au plan qui se déroule devant nous alors que, bien souvent, notre mental souhaiterait le contraire. Plus nous reconnaîtrons que l'univers agit à travers nous, plus nous serons réceptifs à ses suggestions et à ses orientations, plus nous serons créatifs, plus notre âme divine sera harmonisée avec l'univers ou avec cette grande conscience non localisée ou omniprésente qu'est la force électromagnétique intelligente de l'univers. Nous cesserons alors de nous identifier à notre petite personne isolée.

Nous sommes magnétiques au point que nos pensées, qui gravitent autour de nous, attirent des événements qui se matérialiseront tôt ou tard dans notre vie. En effet, à notre insu, nous invitons toutes sortes de situations dans notre existence. Les pensées – peurs, espoirs, appréhensions – se concrétisent, et notre vie se déroule comme nous l'avions imaginé. Nos pensées sont puissantes et créatives et cela, sans que nous le demandions. Elles interviennent dans notre vie selon la loi de l'attraction. Il suffit de penser au bonheur pour que le corps réagisse favorablement et éprouve de la joie. Une pensée négative et vous voilà malheureux et pitoyable. Il suffit d'un seul instant, d'une seule pensée pour que « le monde s'écroule autour de vous ».

Ce que vous pensez, vous le vivez, et ce, peu importe où vous êtes, même sur une belle plage ensoleillée. C'est d'ailleurs prouvé maintenant en laboratoire avec l'imagerie magnétique : différentes parties du cerveau s'allument selon les pensées que nous avons. Chaque pensée est ressentie dans le cerveau et celui-ci répond par des neuropeptides qui nous font sentir tristes ou heureux. Qui commande tout notre vécu ? Nous seuls, par nos pensées. L'environnement joue pour très peu dans notre état émotionnel. Nos conditions de pensée valent plus que les conditions matérielles dans lesquelles nous vivons. J'ai vu plus de gens satisfaits et heureux en Inde qu'ici, en Amérique, et des personnes paraplégiques devenir des modèles de joie de vivre.

Le cœur, de même que le cerveau, répond aux pensées et aux émotions. Elles font vibrer tout notre être. Si vous méditez sur la joie, vous devenez la joie. Celle-ci fera partie de votre réalité car vous la créerez. Il en est de même pour la santé et le bonheur. La vie vous veut en santé mais vos pensées de peur vous entraînent parfois dans une autre direction. Vous créez ainsi votre futur au fur et à mesure de vos pensées. Vous devenez ce que vous pensez. Le hasard n'existe pas, car tout ce qui arrive est le résultat de nos pensées présentes et passées et de nos croyances, même si celles-ci font partie de notre inconscient. **Selon cette façon de voir les choses, nous portons la responsabilité de notre vie sur nos épaules.** Nous sommes les superhéros de notre vie ou encore... les victimes de nous-mêmes. « Dis-moi à quoi tu penses et je te dirai qui tu es. »

Ce principe d'attraction est connu depuis longtemps : les sages d'autrefois en faisaient l'éloge, même si on le désignait de façon différente. La loi de l'attraction est une loi naturelle, elle a toujours été présente, mais nous avons oublié son action constante. Et ce n'est pas parce que nous ne la voyons pas qu'elle n'existe pas. Trop souvent, hélas !, nous mettons les freins à notre réussite en nous chargeant du poids inutile de nos peurs. Notre langage est souvent négatif, tout comme nos pensées. La loi de l'attraction n'est pas du simple positivisme et encore moins de la pensée magique. Même si, à bien y penser, des pensées positives dirigées et intentionnées peuvent créer de la magie. Il s'agit d'un véritable travail sur soi, une action intelligente de conscientisation de tous les instants. Nous avons un rôle actif à jouer dans le cours des événements, tant sur le plan personnel que planétaire. Nous sommes redevables de qui nous sommes et de cette planète avec qui nous vivons de façon symbiotique.

Nous avons malheureusement oublié que tout est interdépendant. Nous devons nous réapproprier cette connaissance fondamentale afin que nos actes, nos pensées et nos décisions nous aident à retrouver l'essence véritable des habitants temporaires de la planète Terre que nous sommes.

LA PHYSIQUE QUANTIQUE : QUELQUES NOTIONS DE BASE

On l'a vu précédemment, tout est énergie selon la physique quantique, dont les principes interviennent dans nos relations personnelles, nos contacts, nos pensées. Avant d'aller plus loin, et pour le bénéfice d'une meilleure compréhension des concepts qui suivront, il me semble utile d'en présenter brièvement quelques fondements.

La physique quantique date du XXe siècle et décrit le comportement des atomes et des particules dans un monde électromagnétique et d'énergies invisibles. Elle permet d'explorer plus en détail les propriétés physiques et les champs de force qui animent notre univers et que la physique classique peinait à expliquer. Cette physique moderne dépasse la physique séculaire d'Isaac Newton qui s'appuyait sur nos sens, avouons-le, limités.

La théorie quantique s'intéresse aux échanges de petites quantités d'énergie, aux quanta. Elle nous fait entrevoir l'univers dans sa dimension microscopique, atomique et subatomique même, mais infiniment puissante comme l'a démontré la bombe atomique. Ses observations ont des répercussions jusqu'en philosophie, puisqu'elles nous aident à comprendre le monde d'interactions dans lequel nous vivons. Selon les principes de la physique quantique, nous ne serions pas séparés, mais liés les uns aux autres, et avec notre univers.

Les travaux de Max Planck, physicien allemand considéré comme le fondateur de la physique quantique, ont démontré que la matière n'est pas « pleine », mais que le vide est partout, notamment entre les atomes. Ce que nous appelons « vide » ne l'est pas véritablement. À preuve les trous noirs, qui prouvent que le vide est au contraire plein d'énergie, à tel point que ceux-ci en génèrent, tout comme ils génèrent des galaxies.

En 1944, à la fin de sa vie, Max Planck aurait déclaré, au cours d'une conférence à Florence, en Italie, que « [...] il n'existe pas, à proprement parler, de matière ! Toute matière tire son origine et n'existe qu'en vertu d'une force qui fait vibrer les particules de l'atome et tient ce minuscule système solaire qu'est l'atome en un seul morceau [...]. Nous devons supposer, derrière cette force, l'existence d'un Esprit conscient et intelligent. Cet Esprit est la matrice de toute matière ». Albert Einstein tenait d'ailleurs le même discours. Ces deux grands esprits scientifiques reconnaissaient donc l'existence d'un Esprit créateur (Dieu pour certains) comme matrice de toute matière.

En 1927, Werner Heisenberg démontra que la lumière pouvait se comporter parfois comme une particule, parfois comme une onde rayonnante. La matière n'est donc pas toujours de la « matière » ; elle semble parfois constituée de particules, et parfois de vagues vibrantes (ondes) dont on ne peut prendre la mesure comme on le fait des pièces détachées.

Heisenberg travailla en 1929 à l'élaboration de la théorie quantique des champs et démontra notamment que les particules pouvaient prendre des formes spécifiques et différentes si un participant les observait pendant l'expérience. En découla un principe – dit d'incertitude – selon lequel l'observateur modifie inévitablement ce qu'il observe. Dès que l'Homme observe une expérience, il a des chances d'en altérer le déroulement. Par extension, ce principe peut s'appliquer à nous, dans notre vie quotidienne. Observer ce qui se passe dans notre vie est la première chose à faire pour en « altérer » le déroulement. Mais nous pouvons encore aller plus loin en observant notre vie avec l'intention et la volonté de lui donner une direction précise. Ainsi, nous pouvons devenir cocréateurs de notre propre vie. En effet, l'observateur, peu importe qui il est, est un être créatif, jamais passif. Les travaux d'Heisenberg lui valurent le prix Nobel de physique en 1933.

La théorie quantique s'applique aux divers processus biologiques des animaux, des plantes et des humains. Elle explique par exemple pourquoi et comment s'opèrent les grandes migrations d'oiseaux. Cette même physique quantique nous a donné les clés pour concevoir les techniques d'imagerie médicale (IRM), les ordinateurs intelligents, les circuits intégrés, les microscopes électroniques, les lasers, les DEL, les disques durs, les transistors des cellulaires, etc. Elle démontre que nos interactions psychiques nous font agir de telle ou telle manière. En somme, toute la vie est quantique !

La physique quantique permet d'entrevoir la réalité d'une manière différente. Les physiciens quantiques admettent que l'univers pourrait être une construction mentale et que la conscience joue un rôle fondamental dans la création de la matière. Selon Sir James Jeans, physicien, « l'univers commence à ressembler davantage à une grande pensée plutôt qu'à une grande machine. L'esprit ne semble plus être un intrus accidentel dans le domaine de la matière ; nous devrions plutôt le saluer en tant que créateur et gouverneur du royaume de la matière[7] ». Ultimement, l'univers serait donc, à la source, immatériel, mental ou spirituel. Ouf ! Cette citation explique scientifiquement ce que les traditions hindouiste et bouddhiste ont rapporté depuis longtemps.

Albert Einstein et d'autres physiciens avaient également remarqué un phénomène surprenant : le principe de non-localité. Selon ce principe, les particules qui sont reliées entre elles le demeurent pour toujours et s'influencent instantanément plus vite que la lumière, et ce, peu importe la distance qui les sépare. Qu'en est-il lorsque ces cellules se retrouvent à l'extérieur du corps dont elles sont issues ou lorsque celui-ci a disparu ? On peut penser ici au phénomène de transplantation d'organes, qui génère des effets tellement complexes sur l'être humain. Il est démontré que des patients qui ont bénéficié d'un don d'organe, principalement le cœur, affichent ensuite des comportements différents. Ce qui est encore plus intéressant, c'est que ces comportements correspondent à s'y méprendre à ceux des donneurs ! Cela porte à penser qu'une partie émotionnelle pourrait être transférée aux receveurs d'organes.

---

7. Sir James Jeans, *The Mysterious Universe*, Cambridge (R.-U.), Cambridge University Press, 1931, p. 137. Traduction libre.

Ce principe sous-tend également que le lien unissant les cellules qui nous composent persistera pendant des années, voire une éternité. Nous serions donc « inséparables », nos cellules demeurant interconnectées les unes aux autres même après notre décès. Peu importe la transformation opérée sur elles, leurs qualités vibratoires demeurent en communication. Tout nous lie et nous liera à notre environnement et aux autres êtres avec lesquels nous le partageons, humains, végétaux ou animaux: l'air que nous respirons, ces atomes que le vent transporte d'un pays à un autre, même la nourriture que nous mangeons, comme ce grain de café dont une foule de gens a pris soin avant qu'il n'arrive dans notre tasse. Voilà qui justifie que l'on apporte à chaque interaction un maximum d'attention afin que les relations soient bonnes ! Nous serons toujours reliés dans notre univers par les pensées, les paroles et les actions que nous aurons eues. Nous ne pouvons prédire ni comment ni quand se produiront les événements, mais il nous est possible d'y coopérer pour que notre vie soit à la mesure de nos attentes profondes.

Comme on peut le voir, il reste encore beaucoup à faire pour comprendre et intégrer les implications des notions scientifiques mises de l'avant par les plus éminents physiciens de notre époque. Les mystères de la théorie quantique sont loin d'être tous résolus !

3

Nos pensées déterminent notre vie

Nous l'avons vu dans le chapitre précédent: notre vie n'est pas le fruit du hasard, elle est intimement liée à nos pensées. Ultimement, nous sommes ou devenons ce que nous pensons. Gandhi lui-même a ainsi synthétisé sa réflexion à ce sujet: « Vos croyances deviennent vos pensées, vos pensées deviennent vos mots, vos mots deviennent vos actions, vos actions deviennent vos habitudes, vos habitudes deviennent vos valeurs, vos valeurs deviennent votre destinée. » Mais les pensées ont-elles une réelle valeur ? Peuvent-elles vraiment construire ou démolir notre vie ? Avant de poursuivre, il importe de prendre un temps d'arrêt afin d'y réfléchir.

Le philosophe René Descartes est célèbre pour sa maxime « Je pense donc je suis ». Mais ce n'est pas parce que nous pensons que nous existons. Personnellement, je suis plutôt d'avis que les pensées contribuent à égarer l'Homme car plus il pense, moins il est véritablement. En effet, les pensées éloignent l'Homme de sa véritable nature qui est, fondamentalement, de vivre dans la joie le moment présent, loin de la pollution que génèrent fréquemment les pensées de toutes sortes. Notre vie serait beaucoup plus agréable si nous n'étions pas constamment déstabilisés par des pensées trop souvent distordues et dépourvues de réalité. Nous ressassons trop longtemps les coups durs du passé ou bien sombrons dans l'angoisse d'un futur imaginé de toutes pièces, et ne sommes pas présents à ce qui se passe maintenant dans notre vie. Nous oublions d'exister ! À force de penser constamment, nous nous identifions inconsciemment à nos pensées, alors que nous sommes beaucoup plus qu'elles.

Contrairement à nous, les jeunes enfants jouissent pleinement du moment présent sans être perturbés par des souvenirs d'hier ou des peurs de demain, qui pourraient leur voler la joie. À quel point l'insouciance les habite-t-elle ! Leur magnétisme est irrésistible. Même malades, ils nous captivent. J'ai toujours été étonné par la dignité des enfants cancéreux ou par l'absence d'angoisse des enfants gravement malades. Sans apitoiement, ils acceptent la vie qui continue sans trop d'égards pour ce qui aurait pu être. Ils ont pourtant conscience de ce qui leur arrive. Peut-être sont-ils simplement plus près de la joie de leur âme ?

COMME UN NUAGE

L'Homme est entouré d'un nuage de pensées composé des siennes propres, mais aussi de toutes celles émises depuis que l'humanité existe. Celles-ci gravitent et tourbillonnent autour du globe. Selon les philosophies indiennes, la planète serait ainsi enveloppée de pensées et de mémoires innombrables qui, ensemble, constituent une forme de nuage, comportant en son sein toutes les informations de l'univers. Ces « annales akashiques » renfermeraient la mémoire de la Terre. Tout y serait enregistré depuis le début des temps, à la manière d'Internet ou d'un service de stockage en nuage, ces outils électroniques qui contiennent une quantité phénoménale de renseignements accessibles partout sur la planète.

Si on adhère à ce concept, qui relève également de la physique quantique, il faudrait donc user de prudence dans le choix de nos pensées, parce qu'elles restent éternellement gravées dans cet éther. Elles ne seraient pas aussi secrètes que nous le pensons, ni aussi anodines que nous le croyons généralement. Ce concept se rapproche de ce que le psychiatre suisse Carl Gustav Jung a nommé l'inconscient collectif, qui suppose que nos actions sont influencées par notre bagage collectif. Dans l'univers, rien ne se perd, rien ne se crée, tout se transforme. Des événements semblables peuvent survenir quasi simultanément sur la planète, sans qu'il y ait de relation connue ou évidente entre eux, et ce, même si de grandes distances les séparent. Ainsi, par exemple, il n'est pas rare que des chercheurs séparés l'un de l'autre par des milliers de kilomètres arrivent à une percée scientifique en même temps, et ce, sans jamais s'être rencontrés. Nous portons donc la responsabilité de nos pensées, et il est grand temps d'en comprendre les mécanismes de fonctionnement.

La pollution mentale par les pensées est probablement la pire pollution dont souffre l'Homme et dont il fait souffrir ses semblables. Nous sommes bourrés de pensées singulières et souvent tordues sur le sexe, les religions, les immigrants, nos gouvernements, les autres pays... et la liste pourrait continuer longtemps. Ce que nous pensons « infecte » d'une certaine manière les gens à qui nous pensons. Des émotions qui pourraient exprimer plutôt joie et entraide sont trop souvent obscurcies par des pensées disgracieuses qui concourent à la division entre les hommes.

Qu'elles soient positives ou négatives, nos pensées attirent infailliblement leurs semblables, selon la loi de l'attraction. De « bonnes » pensées attirent des pensées et des comportements respectueux, affables et amicaux. Des pensées malsaines et pernicieuses risquent d'attirer des actes condamnables. Le milieu dans lequel nous évoluons nous façonne en partie. Les jeunes sont très facilement influençables par les pensées et les croyances, d'où l'importance pour eux de vivre dans un environnement positif, affectueux, honnête et altruiste.

Les pensées peuvent s'intensifier et se concentrer au point de devenir excessives, explosives. Même s'il est invisible et très puissant, le pouvoir des vibrations de la pensée agit constamment. Si vous placez, par exemple, deux diapasons à quelques mètres de distance et que vous frappez le premier, le deuxième entrera en résonance, en vibration, et reproduira le même son. Des pensées semblables vont toujours se renforcer l'une l'autre. Les individus perturbés et sensibles mentalement vont passer aux actes plus facilement, happés et poussés par les pensées destructives et contagieuses qui gravitent dans le sombre nuage les entourant.

C'est malheureusement trop fréquent : un premier meurtre sordide en attire souvent un autre, puis d'autres encore si on en diffuse trop largement la nouvelle. Lorsque les médias mettent trop l'accent sur des meurtres crapuleux, que cela devient un sujet d'actualité et que la colère gronde, il y a danger de récidive. Les pensées de peur, de colère et de haine partagées par un grand nombre de citoyens augmentent les risques que de nouveaux meurtres surviennent, commis par des personnes instables. Nous devenons tous alors, à notre insu, des amplificateurs de malheurs. Ces pensées agissent comme des résonateurs, des amplificateurs même, pour les personnes fragiles émotionnellement, qui deviennent alors susceptibles de passer à l'acte. C'est l'une des raisons qui pourraient expliquer certaines explosions de violence lors de manifestations, par exemple. Les pensées se mettent à l'unisson, s'exaltent et peuvent produire les pires excès. Et pourtant, au départ, on n'en était pas là !

Est-il possible de corriger cette situation ? Bien sûr, de tels moyens existent car l'univers a tout prévu. On l'a vu, deux pensées de même nature se renforcent. Par contre, dans le cas où une pensée positive rencontre une pensée négative, la pensée positive, de vibration plus élevée, peut neutraliser et même détruire la pensée de basse vibration. Ainsi, une pensée de courage détruit une pensée de peur, une pensée d'amour détruit une pensée de haine. Générons donc davantage de pensées de vibrations plus élevées pour contrer les autres.

Nous pouvons aussi contribuer à diminuer le nombre d'actes malheureux en consacrant moins d'attention aux réseaux sociaux. Ainsi, la première chose à faire lorsque des obscénités s'affichent sur nos écrans ou débarquent dans notre vie est de ne pas y attacher d'importance, de cesser d'en parler indûment. Tous les systèmes religieux n'ont-ils pas exprimé les bienfaits de la prière, maintenant étayés par la physique quantique ? On peut également envoyer des pensées réconfortantes aux affligés et des pensées plus lumineuses à ceux qui commettent des actes immoraux et crapuleux. Bref, il faut changer nos façons de penser – et d'agir – pour une société plus équilibrée.

Contrairement à ce que nous croyons, nous ne sommes pas que le fruit de notre volonté et de nos expériences, mais principalement celui de nos pensées. Avec le temps, nous nous sommes identifiés à celles-ci, que nous croyons à tort nous appartenir alors que la majorité d'entre elles provient d'ailleurs : société, famille, groupe d'amis. Hélas !, nous finissons par devenir ce que nous pensons et comme tout ce qui se ressemble s'assemble, nous risquons de ne plus être nous-mêmes. Par nos pensées, nous attirons dans notre vie non seulement des amis mais aussi des embûches, des événements, des aventures, parfois des calamités ou des drames que nous n'aimons pas. Nous entretenons trop souvent des pensées toxiques qui nous perturbent émotivement et qui risquent de créer la personne que nous ne voulons pas devenir. Regardez les pensées que vous avez eues aujourd'hui : sont-elles toujours à la hauteur de vos aspirations ou sont-elles remplies de crainte et de peur ? On ne nous a jamais appris que les pensées sont créatrices et, encore moins, comment penser. Que de nouvelles notions...

DES PENSÉES QUI CONVERGENT : DE LA TÉLÉPATHIE ?

J'aimerais faire un bref aparté. Il arrive fréquemment que des scientifiques effectuent simultanément la même découverte à des milliers de kilomètres de distance et sans jamais s'être parlé. Peut-être cette coïncidence est-elle due au fait que, chaque équipe travaillant avec des technologies analogues, elle perçoit en même temps que l'autre les opportunités d'avancement ou d'amélioration. Mais... Et si l'explication de ce phénomène se trouvait ailleurs ? Y aurait-il un effet de convergence d'énergies subtiles, de vortex d'énergies parcourant la Terre à des vitesses plus élevées que la lumière, qui enveloppent et composent la matière et l'Homme lui-même ? La télépathie est un échange d'information par la pensée à distance entre deux personnes. Son utilité est évidente et tous aimeraient avoir la capacité de pouvoir y recourir, mais le mécanisme qui en explique le fonctionnement n'a pas encore été élucidé. Le « nuage » dont il a été question précédemment ferait-il partie de l'équation ?

Selon la physique quantique, nous baignerions tous dans un champ d'énergie. Nous sommes tous reliés par cette énergie. Son existence n'est pas reconnue officiellement par la communauté scientifique mais nous l'utilisons pourtant chaque jour sans même en avoir conscience. Que nous soyons incapables de l'expliquer n'en empêche pas le fonctionnement. Peu de gens savent comment fonctionnent les ordinateurs et les appareils de résonance magnétique dans les hôpitaux (qui reposent aussi sur des principes de physique quantique), mais ils ont tout de même leur place dans notre quotidien. Certaines recherches font état de personnes pouvant décrire les objets placés dans une pièce, même si celle-ci est à plus de 1000 kilomètres. On affirme même, sans en avoir la certitude, que ces résultats extraordinaires seraient employés par différents services d'espionnage, dont la CIA. Vrai ou faux ? Bien malin qui pourrait le dire, mais une chose est certaine : si nous nous permettions le droit d'accès à la matière par la pensée, nous serions capables de miracles !

Ma femme et moi sommes surpris de constater à quel point nos pensées s'entrechoquent souvent en simultané, la parole ne faisant qu'exprimer des réflexions similaires. Cela me rappelle une anecdote intéressante avec une patiente qui me consultait pour des traitements d'acupuncture. À la troisième séance, avant la pose des aiguilles, je place une main sur sa région abdominale supérieure droite, qui est sensible. En plus de l'examen physique, je visualise une couleur jaune soleil au niveau de son foie. En moins d'une minute, elle dit spontanément ressentir une chaleur bienfaisante sous ma main… puis m'annonce qu'elle voit une couleur jaune. Comment avait-elle pu voir cette couleur ? Intrigué, je lui demande de me dire l'organe que je ciblais. Elle me répond aussitôt, avec conviction, que je ciblais son foie. Est-ce le fruit du hasard ?

Est-elle une voyante qui s'ignore ? Elle me semble pourtant du genre posé, gérante dans une banque et dirigeante de personnel. Je venais d'être ébranlé dans ma science médicale.

Je lui demande si elle accepte de participer à quelques tests de plus. Je me rends à ses pieds et place un doigt sur son gros orteil, alors qu'intérieurement je visualise avec intention de mettre la couleur bleue au niveau de sa thyroïde. « Et là, que ressens-tu ? » Elle répond aussitôt éprouver une douce chaleur au niveau de la thyroïde. « Et que vois-tu ? » Elle affirme aussitôt entrevoir la couleur bleue. Avec son accord, je touche un autre orteil en envoyant de la lumière rose au niveau de son cœur. Elle décrivit exactement l'endroit et la couleur émis par ma pensée. Je m'éloigne ensuite de quelques mètres de la patiente. Yeux fermés, je pense avec intention à déposer la couleur indigo au sommet de sa tête. À ma grande stupéfaction, elle me décrit exactement l'endroit et la couleur indigo. J'ai fait une dernière tentative et le résultat fut le même. Chaque fois, elle pouvait décrire avec précision l'endroit et la couleur auxquels je pensais, et ce, même à distance. Je suis ressorti de cette expérience certain que la télépathie existe et je crois que certains sujets sont plus réceptifs que d'autres. Cela me donne également l'indice que nos pensées ont des répercussions tangibles sur notre corps et notre biochimie. Les pensées sont créatrices d'effets physiques, même à notre insu.

Déjà nous pouvons voir, en neurobiologie et en imagerie par résonance magnétique, le potentiel électrique évoqué à l'écran par nos pensées. Les avancées technologiques en informatique laissent entrevoir que les ordinateurs obéiront non plus seulement à la voix, comme c'est le cas de nos jours, mais aussi à la pensée humaine. C'est inévitable: les technologies liées à la télépathie risquent fort de se développer dans le futur de l'humanité.

PRISONNIERS DE NOS PENSÉES

La pensée distingue l'Homme de l'animal. Avec ce petit plus dont il a hérité, l'Homme se voit souvent pris au piège. Tel le hamster qui ne fait que tourner dans sa roue sans fin jusqu'à épuisement, il devient prisonnier dans la souricière des pensées incontrôlées... jusqu'à ce que mort s'ensuive! Le Dr Serge Marquis a fait un excellent travail rempli d'esprit et d'humour pour décrire ce piège que votre mental vous fait subir: « Il s'appelle Pensouillard. C'est un hamster. Un tout petit hamster. Il court. Dans une roulette. À l'intérieur de votre tête. Vous fait la vie dure. Vous la rend même impossible, parfois. Euh. Souvent.

« Certains jours, il court plus vite que d'autres. Certaines nuits, il vous empêche carrément de dormir[8]. » J'ai eu la chance de rencontrer cet auteur et d'écouter ses propos des plus vivants alors que je devais moi-même donner dans la semaine qui suivait une conférence sur la santé. Il m'a tellement fait rire en dévoilant le ridicule des pensées saugrenues que nous fait vivre inconsciemment ce hamster, aussi appelé le mental!

---

8. Serge Marquis, *Pensouillard le hamster,* Montréal, Éditions Transcontinental, 2011.

Le mental se manifeste à l'intérieur de nous mais exerce aussi, contrairement à ce que nous pensons, une influence externe. Assaillis par des pensées qui tournent en rond, nous devenons contrariés, colériques et nous nous épuisons. Lorsque ces pensées persistent de façon ininterrompue, le corps devient perturbé et s'affaiblit. La fatigue physique devient une manifestation externe tangible d'un trop-plein mental. Notre « petit moi » penseur crée ainsi une multitude de problèmes.

Imaginez : et si, comme on l'a vu plus haut, tout est interdépendant dans l'univers ? Et si notre hamster personnel pouvait avoir un impact à l'échelle planétaire ? Est-ce à dire que, puisque tout est énergie, nous serions responsables des désordres qui se manifestent aux quatre coins de la planète ? Toutes nos pensées rassemblées exerceraient-elles une influence néfaste sur la Terre qui nous nourrit ? Ces hypothèses peuvent étonner mais on ne peut contester que nos actions, qui tiennent de notre identification aux pensées et aux croyances (souvent de manière inconsciente), et leurs implications dans toutes les sphères de notre vie ont des conséquences néfastes sur les plans personnel, conjugal, familial, professionnel et même, pourquoi pas, planétaire.

Contrôler son hamster, c'est-à-dire tenir la bride au mental, permet à l'inverse de trouver la paix que nous cherchons tous. Ralentir ces pensées de doute, de peur et d'anticipation, mais également toutes les pensées, et en prendre conscience nous relaxe infiniment et nous permet de développer librement notre créativité. C'est d'ailleurs l'un des buts de la méditation. Nous cessons de subir l'emprise de nos pensées et nous contrôlons ces dernières.

Recherchez la source de vos pensées négatives ; vous constaterez bien souvent qu'elles ne sont fondées sur rien de concret, du moins rien qui vous menace dans l'immédiat, ici et maintenant. Vous craignez par exemple de perdre votre emploi lors de la prochaine restructuration prévue l'an prochain, et angoissez chaque nuit ? Rassurez-vous : vous êtes en sécurité au fond de votre lit. Aucun directeur ne viendra vous en sortir pour vous annoncer LA mauvaise nouvelle. Si cette annonce doit se produire, il y a fort à parier que cela se déroulera au bureau, dans plusieurs mois. Pourquoi donc gâcher votre sommeil cette nuit ? Et la suivante ? Et celle d'après ? Vos pensées négatives n'ont rien à voir avec le moment présent et si vous les tenez à l'écart, elles disparaîtront. Installez-vous confortablement et, en toute quiétude, remontez à la source de vos angoisses. Vous verrez qu'elles s'évanouiront au fur et à mesure que vous les poursuivrez. Elles finiront par s'éclipser complètement car elles appartiennent à un monde imaginaire, celui des regrets d'hier et des peurs de demain.

En somme, sans pensées négatives, nous serions tellement plus sereins, plus en paix, plus joyeux, plus présents. Les pensées négatives puisent soit dans le passé, soit dans le futur, mais jamais dans le présent. Sans pensées, nous sommes dans l'instant présent. Voilà la quête ultime qui vous apportera la paix que vous avez toujours recherchée. La maîtrise de la pensée est la forme la plus élevée de la prière et de la méditation.

Lors d'un voyage en Inde, j'ai eu la chance d'aller visiter l'ashram d'un sage du nom de Ramana Maharshi. Il est décédé en 1950, mais curieusement, les lieux étaient encore imbibés de sa présence. Des milliers de méditants de tous les coins du monde viennent se recueillir au temple adossé à une montagne sacrée du nom d'Arunachala.. L'enseignement de ce mystique yogi indien était essentiellement centré sur la question « Qui suis-je ? ». Le récit qui suit raconte son histoire.

À l'âge 16 ans, alors qu'il était assis tranquillement sur le sol de la chambre, Ramana Maharshi fut saisi de la présence imminente de la mort. Ce choc subit l'obligea à se retirer en lui : « La mort arrive, mais qu'est-ce que cela veut dire ? Qu'est-ce qui va mourir ? Le corps va mourir. » Il s'allongea sur le sol et raidit ses membres pour donner davantage l'image de la mort. Puis il pinça ses lèvres pour qu'aucun son ne puisse être émis. Il se dit en lui-même que son corps était mort et qu'il serait transporté pour la crémation et réduit en cendres. Il se questionna : « Avec la mort du corps, est-ce que je suis mort également ? »

Tout était silencieux et inerte, mais il ressentait une force incroyable qui faisait partie intégrante de lui, une force au-delà du corps. Il était un esprit transcendant le corps physique. « Le corps est mort mais je suis toujours ici. Cet esprit ne connaît pas la mort. » Pour lui, cette conclusion était une certitude indélébile, une vérité vivante qu'il percevait directement dans tout son être. La pensée s'était tue. Un silence inébranlable et une paix imperturbable l'habitaient. La peur de la mort l'avait complètement quitté maintenant et pour toujours. Il était complètement absorbé dans la présence de qui il était maintenant. Peu importe ce que le corps était occupé à voir, à entendre ou à communiquer, il était dans cette Présence, cette Lumière devenue lui et qui rayonnait tout autour. À partir de ce moment, il s'est mis à prêcher la recherche inlassable de cette vérité à tous ceux qui le visitaient : « Apprenez d'abord à savoir qui vous êtes. » « Questionnez la source de vos pensées[9]. »

C'est le « je », notre « petit moi », notre ego, qui se trouve à la source de nos pensées. L'ego est la somme de tout ce que nous avons reçu de nos parents, de notre éducation et de la société. L'accumulation d'expériences bonnes et mauvaises a forgé cette partie de nous à la recherche du plaisir avant tout, pleine de désirs, de craintes, de jugements et de peurs, qui est toujours sur la défensive, qui veut toujours la première place. L'ego a son importance car il nous permet d'exercer un certain contrôle et de prendre notre place dans la vie de tous les jours. Mais comme il est dominateur et séparatiste, il s'est accaparé tout l'espace, au point que nous nous sommes identifiés à lui, que nous avons endossé la fausse personnalité qu'il nous fait miroiter. En bout de ligne, l'ego devient un usurpateur et une source de conflits en nous et pour nous. Il veut toujours s'affirmer et empêche notre moi véritable de s'exprimer de façon naturelle et authentique.

---

9. Joan Greenblatt et Matthew Greenblatt, *Bhagavan Sri Ramana : A Pictorial Biography*, 2e éd., Tiruvannamalai (Tamil Nadu, Inde), Sri Ramanasramam, 1985.

Il n'y a rien à combattre, simplement des faits à reconnaître. Nous devons nous réconcilier avec notre ego et reconnaître ses passions, ses peurs, ses colères pour les dénouer, les faire disparaître graduellement, car elles n'appartiennent pas à notre essence véritable. Mieux nous réussirons à nous détacher de cette fausse personnalité, plus nous deviendrons véritablement nous-mêmes. Que l'on me comprenne bien : l'ego n'a pas à être détruit car il n'a pas d'existence propre, il est illusoire. Reconnaître cette méprise fera de nous des êtres libérés de nos souffrances. Lorsque le moi véritable (le Moi) émergera graduellement, nous commencerons à nous détendre car nous n'aurons plus rien à défendre ou à protéger. À ce point, nous prendrons pleinement conscience du moment présent, et nous pourrons savourer la sérénité de l'existence.

En conséquence, il importe de focaliser sur nos pensées et d'apprendre à les utiliser à notre avantage, personnel et commun. Prenons tout d'abord conscience que les pensées ne sont pas matérielles (bien qu'elles finissent par se matérialiser) ; elles sont plutôt une forme d'énergie. On ne peut les voir, mais on peut en constater les effets positifs ou négatifs sur notre comportement de même que notre santé physique, psychologique, spirituelle et... planétaire. Pourchasser les pensées nous amène ensuite à délaisser de plus en plus l'identification à notre ego.

Mais comment y arriver ?

RÉAPPRENDRE À PENSER

Nous avons une pensée toutes les trois secondes. Notre mental est comme un singe qui saute de branche en branche sans s'arrêter ou comme une abeille qui butine de fleur en fleur. Essayez de ne pas penser pendant cinq secondes, juste pour voir ! Cela fait près de 40 000 pensées par jour et malheureusement, la majeure partie d'entre elles sont négatives.

Nous voyons d'ailleurs en médecine que les pensées peuvent être enregistrées avec un électroencéphalogramme ; quant aux résonances magnétiques, elles localisent les pensées qui agissent dans notre cerveau. Celles-ci modulent la matière cérébrale. Elles ont donc un impact direct dans nos molécules, nos neurones cérébraux. Nous ne pourrons jamais assez insister sur le pouvoir incommensurable de nos minuscules pensées sur notre vie et même sur la planète tout entière. Selon les principes de la physique quantique, tout, absolument tout, est énergie et c'est l'énergie qui gouverne tout. Ce que nous pensons émet de l'énergie ici et ailleurs, comme une vague qui ondule à l'infini. Ces vibrations émettent des énergies d'amour, de peur ou de colère qui influencent ceux qui nous entourent et la planète tout entière. Nous sommes tous des émetteurs et des récepteurs d'énergie et devons réintégrer ce rôle oublié.

Même la matière que nous qualifions d'inerte interagit avec nos pensées. Dans le cadre de la décennie internationale des Nations Unies pour « L'eau, source de vie », tenue de 2005 à 2015, Masaru Emoto a voulu partager ses découvertes sur la réactivité de l'eau aux enfants du monde en adaptant son ouvrage *Le mes-*

sage de l'eau pour ce jeune public. Le Projet de Paix Emoto (*Emoto Peace Projet*) s'adresse à tous les enfants du monde pour que ceux-ci soient les futurs ambassadeurs des relations harmonieuses entre les hommes. Les études de monsieur Emoto l'ont amené à conclure que l'eau réagissait aux pensées et aux émotions extérieures. Dans un environnement non pollué avec une musique agréable, des paroles ou des pensées joyeuses, l'eau qui se solidifie peut former de beaux cristaux.

Monsieur Emoto nous apporte ainsi un message réconfortant : nous sommes composés d'eau car l'eau, c'est la vie. Apporter la paix dans l'eau, c'est apporter la paix en soi, chez l'autre et dans le monde. À l'inverse, une eau polluée ou soumise à de la musique désagréable ou pleine de paroles colériques ne peut former de cristaux harmonieux. Ainsi, les paroles disgracieuses que l'on adresse à quelqu'un empêchent toute formation de cristaux gracieux et, par le fait même, affectent la personne qui les reçoit. Même les pensées négatives et l'écriture de mots désagréables peuvent être nuisibles, notamment aux enfants et à leur développement. C'est pourquoi, à la suite de mes lectures, j'ai entrepris une sensibilisation auprès d'enseignants intéressés pour que nos enfants soient plus conscients de la portée des mots qu'ils emploient ou même des pensées qu'ils entretiennent envers eux-mêmes et autrui.

Nous baignons donc constamment dans un océan de pensées et de paroles inconscientes qui affectent la globalité de notre corps. Rien n'est dû au hasard, tout est en synchronisme parfait : nous attirons ce que nous sommes. Si nous voulons faire venir à nous ce que nous aimons, alors il faut nous concentrer sur les objets positifs de nos désirs. On nous a appris à parler et à marcher, mais personne ne nous a appris à penser correctement. Nous devons réapprendre à le faire pour que la loi d'attraction nous gratifie enfin. Il est urgent de créer ce mouvement positif pour nous débarrasser enfin de la vie dont nous avons hérité au profit de celle que nous voulons vraiment.

LA TECHNIQUE S.T.O.P.

S.T.O.P. : **S**aisissez le **T**emps pour **O**bserver vos **P**ensées. Voilà une technique qui vous permettra de prendre conscience de vos pensées et d'éliminer le plus rapidement possible les intrus indésirables. Les pensées perturbatrices qui vous agitent et vous stressent, lorsque vous vivez des moments de tension, pourront être démasquées rapidement pour éviter qu'elles ne vous entraînent dans la peur, l'angoisse ou toutes les manifestations physiques qui paralysent votre créativité, votre santé et votre bien-être.

Un exemple. Le facteur vous remet une lettre en main propre et vous devez signer. C'est sûrement une lettre importante, dites-vous, car il vous a fallu signer un formulaire pour en accuser réception. Mais qu'a-t-elle de si important ? La pensée d'une mauvaise nouvelle se glisse sournoisement dans votre esprit. Pourtant, la journée avait bien débuté avec un ciel si bleu... Mais voilà que cette lettre inattendue – et encore cachetée – vient anéantir votre tranquillité d'esprit. Il n'y a pas que votre esprit qui est paralysé et chaviré : votre cœur s'est mis à battre plus vite, votre respiration est devenue chaotique, la poitrine vous pèse et vos intestins se sont noués. Vous vous êtes mis à avoir chaud, vos aisselles sont devenues moites, vous vous sentez tout à coup fatigué, un peu déprimé même, tellement vous vous construisez un scénario des plus pessimistes. Et le manège tourne de plus belle, votre cœur bat encore plus vite et voilà que vous imaginez le pire... qui probablement n'arrivera jamais, mais peu importe. Vous êtes démoli en ce moment même, ici, parce que vos pensées sont ailleurs, dans un avenir qui n'a aucune réalité. Pourtant, rien n'a véritablement changé, rien de tout ce que vous avez imaginé n'est arrivé encore. Il n'y a peut-être même pas de mauvaise nouvelle dans cette lettre ! Un fait demeure toutefois : nous sommes là où sont nos pensées.

Un autre exemple ? Vous êtes assis devant une bonne tasse de café encore chaud, l'air est pur et ça sent bon dans ce joli chalet que vous avez loué pour une fin de semaine de vacances. Le soleil est magnifique, le lac est tranquille et, sur le quai avoisinant, un petit garçon s'amuse à sauter dans l'eau et son père est là pour le surveiller. Vous souriez de voir l'enfant courir sur le quai et se jeter à l'eau. Mais voilà que vous pensez à votre fils de huit ans qui est parti dans un camp de vacances sur le bord d'un lac. Vous avez donné votre autorisation pour ce séjour, sachant qu'il aura du plaisir et qu'une surveillance adéquate sera exercée. Mais vous n'êtes pas aux côtés de votre fils... Voilà qu'un lourd nuage gris flotte au-dessus de votre tête et vous immobilise sur votre chaise. Pourrait-il arriver un malheur à fiston, lui qui nage à peine ? Un compagnon pourrait-il sauter et le heurter ? L'idée de la noyade vous traverse l'esprit. Vous n'avez plus le goût d'aller faire le tour de vélo prévu avec votre conjointe. Comme vous êtes perdu dans votre scénario de film catastrophe, vous ne profitez plus de ce lieu idyllique que dans lequel vous vous trouvez. Vous vous êtes réfugié dans votre tête, dans votre mental, vous n'êtes plus en vacances... L'imagination et les idées noires ont préséance sur la réalité. Devez-vous continuer à gâcher vos instants précieux, ces moments qui se voulaient régénérateurs ?

Il faut savoir que les pensées sont associatives. Constamment, une pensée en attire une autre, puis une autre. Si vous laissez plus de 10 secondes à une pensée négative, elle aura tôt fait de s'associer à une autre pensée de même acabit, puis à une autre. Il ne faut pas la combattre mais la contempler un très court instant et penser aussitôt **S.T.O.P.** !

Il est temps de pratiquer la technique **S.T.O.P**. Arrêtez tout : **S.T.O.P.**, **S.T.O.P.** et **S.T.O.P.** ! Cessez de bouger et de respirer (pas trop longtemps), fermez les yeux, puis questionnez-vous : qui est là ? Quelle pensée dérangeante est présente ? Acceptez-la puisqu'elle est là. La coupable identifiée sans jugement, commencez aussitôt une respiration lente et profonde. Concentrez-vous sur le moment présent. Ressentez l'air qui entre dans vos narines, votre ventre et votre poitrine, qui se gonflent doucement. Puis observez ce qui se passe dans votre corps, toutes les sensations que votre respiration génère, vos membres qui se détendent graduellement. Vous êtes dans l'instant présent, tous vos sens prennent la place dans votre tête. Vous êtes présent à ce qui se passe ici et maintenant dans votre corps. Regardez avec détachement vos émotions et votre environnement. Laissez-vous aller dans les sensations du moment présent. Que pensez-vous des émotions que vous éprouvez encore un peu ? Observez-les sans réagir. Comment les expliquez-vous ?

Revenons à notre premier exemple. En étant présent, quelles décisions réfléchies allez-vous prendre quant à cette lettre ? L'ouvrir maintenant ou un peu plus tard, le temps d'aller faire une balade ? Vous risquez de marcher l'esprit encombré, avec toutes ces pensées qui vont tenter de vous faire perdre pied ! Respirez plutôt et ouvrez cette lettre. Vous pourriez réaliser avec surprise qu'elle vient d'un ami qui vous envoie ses meilleurs vœux de bonne fête un mois à l'avance ! Riez et poursuivez les activités que vous vous étiez promis de faire, tout en demeurant dans l'instant présent.

Dès que vous ressentez des émotions dérangeantes, dites **S.T.O.P.** ! Arrêtez-vous, reconnaissez l'intrusion des pensées dérangeantes, respirez et poursuivez vos observations dans le moment présent avec détachement avant de prendre des décisions réfléchies. Ne laissez pas les voleuses d'énergie et de joie occuper votre domicile cérébral. Débarrassez-vous des folles du logis. Évitez l'occupation double et la contamination des pensées parasitaires.

Plus vous utiliserez la technique **S.T.O.P.** régulièrement, plus il vous sera rapide et facile d'entrer en pleine conscience.

Vous verrez votre journée se dérouler avec facilité et légèreté. Sans ce temps d'arrêt, le mental demeurera ce singe excité qui saute de branche en branche. N'oubliez pas que nous avons des dizaines de milliers de pensées par jour et que la plupart sont inutiles, dérangeantes ou carrément affolantes. Prendre rapidement conscience de vos réactions émotionnelles ravageuses et pratiquer la technique **S.T.O.P.** permet d'apaiser vos craintes et de maîtriser vos peurs rapidement. Le stress aura ainsi moins d'emprise sur vous. La technique **S.T.O.P.** est un antistress des plus efficaces qui engendre paix et joie. Étant donné que nous souffrons tous d'inconscience et de pensées discursives, permettez-vous de laisser des rappels **S.T.O.P.** sur votre bureau, dans votre garde-robe, sur votre réfrigérateur ou dans la salle de bain. Graduellement, cette technique vous ramènera dans le moment présent à chaque occasion. Et stoppez la procrastination en commençant la technique maintenant !

Il est donc impératif de ne pas laisser une pensée négative dans son esprit car c'est une spirale de négativité qui s'amorce. Une autre technique serait de passer à l'action, c'est-à-dire de créer aussitôt une nouvelle expérience, une activité plus intense qui pourra détourner l'attention de cette négativité : appeler quelqu'un et s'informer de sa santé ; aller au centre commercial, ou toute autre activité qui pourra détrôner la pensée toxique. Lorsque j'étais plus jeune – bien que je me sente encore jeune – et que j'avais des pensées déprimantes ou dérangeantes, j'allais marcher dans un centre commercial, peu importe lequel. L'important était de voir, de rencontrer en silence ces gens qui faisaient les courses. Des personnes seules, des jeunes, des aînés, une mère avec son enfant qui faisait une crise en sortant du magasin de cadeaux car il n'avait pas eu le jouet désiré ; tous ces gens chassaient inconsciemment mes pensées. Le bain de foule changeait aussitôt mes pensées et chassait mes idées sombres. Observer l'humain dans son humble quotidien relaxait mon hamster et une petite joie m'envahissait. Si une pensée vous éveille la nuit, allez lire aussitôt ou concentrez votre attention sur votre respiration, les couvertures ou l'oreiller sur lequel repose votre tête. Soyez présent à ce qui est autour de vous ; ressentez combien la vie vous aime toujours.

La méditation est également une excellente technique pour écarter ou diminuer la présence de pensées négatives. De même, la planification positive de vos journées à venir par la méditation du soir et du matin, comme vous verrez un peu plus loin, constituera un remède des plus efficaces.

S.T.O.P... MAIS *GO WITH THE FLOW*

Stopper nos pensées nous facilite la vie et peut être la source d'un mieux-être. Mais exercer un contrôle sur ses pensées ne signifie pas que la vie ira toujours dans une direction nécessairement positive ! La pensée magique n'existe pas. La vie est un grand maître qui veut parfois vous signifier qu'il est temps d'apporter un changement de direction. Ne perdez pas votre joie et votre élan devant ce que la vie veut vous enseigner. Il y a des détours que vous devez faire même si vous auriez préféré la ligne droite.

Apprenez à surfer sur les vagues de votre vie. Nager avec le courant demande moins d'efforts que d'aller à contre-courant et nous arriverons sur l'autre rive beaucoup plus vite. Nous ne pouvons dire exactement la localisation précise que nous atteindrons sur l'autre rive mais une chose est certaine : nous serons en lieu sûr rapidement et efficacement. Nous aurons perdu beaucoup moins d'énergie en cessant de résister à ce qui se présente et en nous laissant couler avec le courant, tout en étant conscients de ce qui se passe en nous et autour de nous. Trop souvent, nous voulons aller dans une direction qui n'est pas la nôtre et cela nous demande alors beaucoup trop d'efforts inutilement. *Go with the flow*, comme disent certains. Laissez-vous couler dans la vie, suivez le moment présent. Oubliez ce qui aurait dû se passer (les regrets) et ce qui pourrait arriver (les peurs). Cessez de vous cramponner à ces moments de la vie qui sont déjà passés, cessez de vous projeter dans ces moments qui sont encore à venir. Laissez aller. Laissez-vous flotter, c'est bien plus reposant ! Prenez le temps de regarder et d'observer. Devenez témoin de votre vie pour avancer davantage dans la direction que la vie veut vous communiquer.

Le changement sera toujours de la partie (la seule chose qui ne change pas dans la vie, c'est le changement). Il faut centrer son attention et ses pensées sur le processus qui se déroule au moment présent, et non sur un résultat que l'on veut atteindre. En cherchant toujours à atteindre un but souvent créé par notre personnalité exigeante et parfois aveugle, nous risquons de nous imposer du stress et de l'anxiété, et de rater notre destination. Ce comportement fera interférence avec le flux de l'esprit qui tente de nous communiquer la direction.

Parfois la vie nous entraîne dans des méandres où les choses semblent s'enliser; les pensées déprimantes nous acculent alors au pied du mur. Mais nous devons continuer et laisser la vie suivre son cours. La compréhension viendra plus tard. Cessez de penser et poursuivez l'action. Ayez foi en la puissance du courant, vivez le moment présent et acceptez avec confiance la vie qui s'exprime différemment. Peu importe ce qu'elle vous apporte, peu importe ce qui se présente, apprenez à surfer sur les vagues de la vie. Le temps n'est pas toujours au beau calme mais la tempête et les vagues font partie de la vie même.

Je me souviens d'un vieux fermier qui, lorsque je lui avais demandé un matin la température qu'il ferait pour le jour à venir (mes pensées sur le mauvais temps à venir étant dominantes), m'avait répondu avec son sourire paisible: « La température que je préfère. » Dubitatif, je lui avais demandé comment il pouvait savoir que ce serait exactement la température qu'il préfère. Avec sérénité, il m'avait répondu: « Comme je ne peux prédire la température qu'il fera, j'ai appris à aimer la température que dame Nature m'envoie, la température qu'il fait. »

Nous dépensons temps et énergie lorsque nous nous entêtons à tout vouloir diriger. Nous devons apprendre à faire confiance à la vie, mais avant tout faire un travail de conscientisation sur la vie qui se déroule. Comme le conseille un vieux proverbe arabe : « Fais confiance à Allah mais avant tout, attache ton chameau. » Et plus près de nous : « Aide-toi et le ciel t'aidera. » Notre vie est synchronisme, mais nous devons nous efforcer d'y apporter plus de lumière et plus de conscience pour que le synchronisme soit le plus parfait possible. Nous devons développer de justes relations dans notre entourage, nous conscientiser sur le moment présent et demander que chaque jour devienne plus lumineux. Voici deux principes fondamentaux qui semblent nous avoir échappé : d'abord, il n'y a pas de relations ni même d'événements que nous n'avons pas invités dans notre vie. Ensuite, selon l'un des principes de la physique quantique, le jour où cette relation aura été établie, elle se poursuivra *ad infinitum* dans l'invisible. Tout ce qui entrera dans votre vie, tout contact qui aura été introduit dans votre vie aura des répercussions pour les années à venir.

4

Les égrégores, des pensées vivantes

« La pensée est le plan,
le schéma directeur de notre vie ! »

Le fonctionnement de la pensée et son influence sur notre psychique sont des sujets de réflexion des plus captivants. C'est d'ailleurs l'un de mes favoris. J'ai lu en 2015 un article intéressant sur la pensée humaine écrit par Lucile de La Reberdiere et relayé par le magazine *Inexploré*[10]. Cet article présentait les résultats du Global Consciousness Project, expérience parapsychologique amorcée en 1998 à l'Université de Princetown, aux États-Unis, dans le but de prouver l'existence de la pensée universelle grâce à sa charge énergétique. Les chercheurs avaient conçu un petit boîtier permettant de détecter efficacement l'activité neuro-électrique des

10. Lucile de La Reberdiere, « Qu'est-ce qu'un égrégore ? », *Inexploré*, 8 septembre 2015. En ligne : https://www.inrees.com/articles/Egregore-conscience-partagee/.

pensées d'une personne seule d'abord. Les tests en ayant révélé l'efficacité, on s'employa à mesurer celle d'un groupe composé de plusieurs personnes agissant de façon individuelle. Aucune réaction de l'appareil : rien à mesurer.

Les chercheurs reproduisirent ensuite l'expérience sur un groupe de personnes en méditation, alors que plusieurs d'entre elles « focalisaient » leurs pensées. La petite boîte enregistra alors une charge énergétique mesurable. Cette expérience fit beaucoup parler. Les chercheurs envoyèrent ensuite 65 de ces petites boîtes de par le monde pour voir s'ils pouvaient détecter les effets d'une pensée commune à travers la planète. Chaque fois qu'un événement mondial se produisait, des variations d'activité psychique étaient enregistrées. Plus un événement était médiatisé, plus fortes étaient les variations. Le jour de l'attaque terroriste du 11 septembre 2001, par exemple, les capteurs étaient littéralement affolés. Il ressort clairement de cette expérience que, même si la science peine encore aujourd'hui à démontrer le mécanisme opérationnel de ce lien, le monde physique et le monde psychique semblent intimement connectés.

À notre insu, nos pensées créent donc une énergie électromagnétique et cette énergie est multipliée si nous sommes nombreux à penser la même chose. Ces pensées collectives sont appelées des égrégores. Un égrégore est constitué d'un ensemble de pensées similaires qui, lorsque focalisées, produisent un effet réel et mesurable. En effet, lorsque plusieurs personnes focalisent une pensée précise avec intention, intensité et même émotion, elles engendrent une énergie, une « forme-pensée ». Rappelons-le : nos pensées exercent une influence sur nos propres cellules. Le rôle joué par les égrégores n'est donc pas superficiel...

Dans notre monde, tout est égrégore, que ce soit la famille, la nation ou encore la religion. Toutes les émotions collectives nous connectent à une source d'énergie identique qui exerce une influence sur nous. Les groupes en sont un exemple. Les joueurs d'une équipe qui unissent leurs pensées dans une même direction pourront avoir un élan d'énergie de plus pour gagner la partie. Parce qu'ils sont syntonisés sur la même longueur d'onde, ils auront plus de chances de gagner. Cet égrégore, cet esprit de groupe, les aidera à leur tour. Le médecin est « aidé » dans sa pratique par la profession médicale, l'organisation ou le collège médical. Il en est de même du policier qui jouit d'un pouvoir accru par le fait qu'il fait partie d'une fédération ou d'une association, cette force qui le propulse encore davantage en tant qu'individu. Ce courant de pensées similaires sera amplifié par le phénomène de résonance (deux diapasons sur la même fréquence vont se renforcer l'un l'autre).

Les croyances anciennes, notamment celles liées aux religions, qui datent parfois de milliers d'années, continuent à nous influencer constamment, et ce, même si on y croit moins que par le passé. Ces égrégores sont encore vivants ; ils façonnent et influencent notre existence et sont une source d'énergie pour l'ensemble des gens qui s'y connectent. La prière a un véritable pouvoir et la science l'a prouvé. Elle tire sa force des égrégores. Prier, c'est diriger une pensée, c'est-à-dire une vibration, avec intention ; c'est créer une concentration d'énergie vers une figure donnée, une icône ou un texte, alors que ceux-ci ont déjà été investis de certains pouvoirs ou qualités. Par le passé, des milliers de gens ont prié cette icône qui, maintenant magnétisée, pourra nous retourner des vertus que nous souhaitons recevoir. Plus nous sommes en sympathie vibratoire avec l'objet demandé, plus la réponse sera positive. On a pu constater un grand nombre de ce type d'égrégores à travers les âges.

Des égrégores sont créés à tout moment. Prenons un exemple des plus simples pour expliquer ce mécanisme. Imaginons Pierre, un père de famille, qui rapporte du Pérou un joli toutou qu'il nomme Teddy. À la maison, Teddy fait le bonheur de tous tant il est sympathique. La jeune Zoé, qui l'a adopté, lui demande un soir de la réveiller à sept heures le lendemain matin. Par le plus grand des hasards, Zoé se réveille effectivement à sept heures pile. Sa famille s'amuse de l'anecdote. Elle conclut que Teddy pourrait bien réellement octroyer des bienfaits, comme un gentil magicien. Tout un chacun y va de ses invocations, de ses prières. On en parle de plus en plus dans le voisinage et les gens commencent à attribuer à Teddy des dons de magicien. Un média rapporte le phénomène, attisant ainsi la popularité de Teddy. Ce qui était amusant au départ devient plus sérieux ; une partie de la population de la ville demande maintenant des faveurs au toutou pourtant insignifiant. On va même jusqu'à le vénérer. Plus les gens l'invoquent, plus des réponses apparaissent, certaines réalisant les vœux exprimés.

Voilà que cette icône est devenue « vivante » psychiquement, apportant sa protection à certains, ses faveurs à d'autres. En effet, les statistiques rapportent que Teddy serait réellement favorable à qui croit en ses vertus. La pensée collective a donc créé un toutou magique pouvant faire profiter ceux qui croient en lui de bienfaits réels et tangibles. Nous avons, par nos pensées qui génèrent un champ d'énergie, créé de toutes pièces une peluche dotée de pouvoirs qui pourra effectivement octroyer certaines faveurs.

L'exemple peut sembler exagéré mais il n'en demeure pas moins que cette situation et le mécanisme décrit sont tout à fait plausibles. L'être humain est créateur et les pensées sont à la base de toute création. D'un toutou banal, nous pouvons faire un toutou magique. L'Homme a ainsi conçu d'innombrables icônes – et en a parfois fait des dieux. Dans les temps anciens, quantité d'objets (le soleil, certains animaux ou même parfois des objets recouverts d'or) ont été ainsi dotés de pouvoirs fantastiques. Cela se produit constamment et souvent à notre insu. Imaginez lorsque vous le faites avec conscience ! L'effet s'en trouve majoré.

Par résonance, un égrégore influence donc les pensées des autres et, par ricochet, leur comportement. Cette idée que des pensées pourraient ainsi agir à notre insu est issue de la psychologie quantique, branche de la psychologie qui s'intéresse aux manifestations électromagnétiques. Il se créerait ainsi un esprit de groupe, ou une « pensée-groupe », qui ferait sentir son influence dans une direction ou dans l'autre, selon les pensées générées. Cette masse d'énergie constitue l'opinion publique, dont l'influence n'est plus à reconnaître. Des pensées de joie éveillent la joie chez autrui, des pensées d'amour appellent l'amour et des pensées de haine génèrent la haine, à l'origine de la guerre. Beaucoup de destruction s'opère autour de nous par ce mécanisme inconscient. À un certain niveau, chacun de nous crée le terrain propice pour une guerre éventuelle, même si aucun ne souhaite réellement appuyer sur le bouton rouge.

Ayant une connaissance parfois instinctive de ce principe, certaines personnes (qui se révèlent souvent être des manipulateurs ou des dictateurs) «pénètrent» l'opinion publique afin d'influencer le champ de pensées de leurs semblables de telle sorte qu'une gigantesque forme-pensée baigne toute une population, entraînant les faibles et les indécis dans son sillon. Comme les pensées ne sont pas soumises à la distance et, telles des vagues, ondulent à l'infini, elles sont véhiculées plus vite que la lumière. C'est alors toute la Terre qui vibre à cet égrégore.

L'Homme doit apprendre à penser davantage par lui-même et non pas accepter d'emblée ce qui est véhiculé depuis des siècles. Nous sommes à l'heure de l'information, de la communication, du Web. Nous devons choisir nos sources avec clarté, conscience, critique et... cœur. Nous ne devons pas perdre notre sens critique devant tout cet arsenal informatique, qui se révèle, à sa façon, un nouvel égrégore.

Je le rappelle: comprendre le mécanisme de la pensée est de toute première importance et savoir penser, capital. Ce n'est pas une pensée en l'air ! Il n'y a pas de pensée sans conséquence. Nous avons tout intérêt à savoir déchiffrer ce qui se passe entre nos deux oreilles. Nous sommes ce que nous pensons ; cela fait partie de notre réalité. Nous pouvons créer nos maladies à force de peur et de pensées malades. Soyons aux aguets !

DOMPTER LE CHEVAL FOU DE NOS PENSÉES

À la lumière de ce que vous venez de lire, le dicton « Dis-moi ce que tu penses et je te dirai qui tu es » semble plus approprié que jamais. Nos pensées, nos paroles et nos actes peuvent nous mener à une vie plus équilibrée ; en d'autres termes, nous récoltons ce que nous semons, nous sommes le résultat de nos pensées et de nos croyances, même si souvent il est difficile de percevoir cette relation en raison du délai écoulé entre ces pensées et leur résultat concret.

Nous vivons dans l'illusion que les choses arrivent par hasard alors que le hasard n'existe pas. Or, comme nous l'avons vu, la large majorité de notre vie découlerait de nos croyances et de notre subconscient[11]. Notre vie serait donc à la hauteur des pensées que nous entretenons. Il nous revient donc de nous créer une existence créative et enrichissante, de vivre activement et consciemment en synchrodestinée, c'est-à-dire

---

11. Daniel Goleman, « New view of mind gives unconscious an expanded role », *The New York Times*, 7 février 1984, p. C-1. En ligne : www.nytimes.com/1984/02/07/science/new-view-of-mind-gives-unconscious-an-expanded-role.html.

de « collaborer » avec les événements qui jalonnent le quotidien. L'univers est bon pour nous et ne cherche qu'à magnifier et à embellir notre vie à tous les niveaux. En prenant conscience de nos pensées, en pensant avec discernement, nous devenons les créateurs d'une vie épanouie. En bâtissant notre destinée pour le meilleur de nous-mêmes, nous ne sommes plus passifs, mais actifs. Il est terminé le temps où nous nous laissions ballotter au hasard des flots de la vie !

Prenez votre vie en main puisque vous en êtes le créateur. Devenez le directeur d'une vie riche de vos convictions, de vos croyances et de vos actions. Posez des gestes concrets pour que votre vie prenne direction en ce sens. Planifiez votre journée, votre horaire, votre lever tôt le matin, votre coucher et, pourquoi pas, votre avenir ! Dans son œuvre, le Dr Deepak Chopra a bien expliqué la synchronicité de tout ce qui compose notre vie et à quel point nous pouvons la programmer pour qu'elle soit un succès et reflète la mission dont nous nous sommes investis.

Une astuce concrète toute simple : ne traînez pas indûment devant le petit écran qui vous assomme ou vous affole, car vous risquez d'altérer la qualité de votre sommeil. Je ne saurais trop vous recommander de pratiquer la méditation. J'ai eu la chance de rencontrer personnellement Matthieu Ricard, moine bouddhiste bien connu, qui a contribué à plusieurs recherches et études pour démontrer les bienfaits de cette activité. Ce moine, qui a entre autres mis sur pied une association humanitaire, fait partie du Mind and Life Institute, organisme qui facilite les rencontres entre la science et le bouddhisme. Il est l'auteur de plusieurs ouvrages et les expériences et recherches auxquelles il a contribué ont confirmé, à l'aide des technologies neuro-radiologiques et neuro-électro-encéphaliques, les avantages que présente la méditation au quotidien.

La méditation du soir est importante ; elle trace une ligne de démarcation entre les activités parfois frénétiques de la journée et la nuit, qui se veut régénératrice et paisible. Méditer le soir au coucher est fondamental. Le matin, partez du bon pied. Préparez votre journée et fixez les objectifs que vous voulez réaliser en débutant par une méditation. Gardez la régularité de la méditation qui fera arriver ce dans quoi vous vous investissez. Après quelque temps, vous ne voudrez plus vous en passer, tellement le fruit de vos efforts sera profitable et productif.

Les grands médaillés olympiques s'adonnent régulièrement à des séances de pensées concentrées et de visualisation pour remporter des épreuves décisives. Devenez vous aussi le champion de votre vie en y consacrant seulement quelques minutes par jour ! Ces quelques minutes augmenteront votre concentration, votre énergie et votre créativité ; elles pourraient métamorphoser votre vie pour en faire une existence à votre mesure. Cela semble trop beau ? Absolument pas ! Il vaut la peine de tenter l'expérience sérieusement et les résultats seront de la partie, croyez-moi !

UN EXERCICE DE MÉDITATION

Voici un exercice de méditation et de visualisation. Il semble anodin, mais pratiqué avec régularité tous les jours, il vous apportera équilibre et confiance en vous-même. Vous verrez graduellement votre vie se transformer pour le mieux. Vous sentirez naître en vous un sentiment de présence et aurez vraiment l'impression de contribuer au bon déroulement de votre vie.

À la maison, trouvez une place confortable, tranquille, et créez une ambiance olfactive et auditive agréable. Certains utilisent une fragrance ou de l'encens pour favoriser l'introspection. D'autres font jouer de la musique douce ou préfèrent le silence. L'important, c'est de créer une atmosphère qui vous porte à la tranquillité. Lorsque les sens sont apaisés, le mental se calme plus facilement et les résultats de l'exercice seront amplifiés. Prenez également un carnet et un crayon. Ils vous seront utiles dans quelques minutes pour créer un journal quotidien si vous le désirez.

1. Installez-vous assis et le dos droit.
2. Prenez trois grandes respirations abdominales lentes. À l'inspiration, prenez soin de gonfler votre abdomen comme un ballon et expirez profondément et complètement.
3. Nettoyez les tensions psychiques qui ont déstabilisé votre état émotif avec ce que j'appelle le *scanning* corporel. Imaginez un treillis de feu violet d'environ trois pieds sur trois pieds (90 cm) et d'une épaisseur d'environ un pouce (2 cm). Ce grillage purificateur va scanner lentement tout votre corps, le traversant dans tous les sens, de haut en bas, de

gauche à droite, d'avant en arrière et inversement. Imaginez que ce treillis brûle toutes les impuretés, les lésions aux organes, les tensions, les émotions perverses accumulées qu'il rencontre. Au fur et à mesure que le treillis se déplace, tout ce qui vous dérange se transforme en cendres et tombe à l'extérieur de votre corps. Une minute sera suffisante.

4. Entrez en cohérence cardiaque pendant trois à cinq minutes. Une respiration consciente et contrôlée permet d'entrer en cohérence cardiaque, technique très efficace pour relaxer et même pour préparer la méditation. Il y a une relation directe entre la qualité de notre respiration et la variabilité du rythme cardiaque. La respiration consciente est une excellente façon de combattre le stress. Je vous propose la technique suivante qui, même en quelques minutes, vous permet de vous alléger du poids de la journée. Inspirez pendant cinq secondes et expirez pendant cinq secondes, sans faire de pause, un peu comme une vague qui monte et redescend. Vous pouvez aussi utiliser l'application gratuite Respirelax. Le fait de pratiquer avec l'application (et de voir la bulle monter pendant cinq secondes puis redescendre pendant cinq secondes) procure à plusieurs une meilleure assise mentale, car elle oblige les pensées à stopper.
5. **S.T.O.P :** **S**aisissez le **T**emps pour **O**bserver vos **P**ensées, les ralentir et retrouver une paix juste et tranquille.
6. À sept reprises, faites le mantra pour le cœur en vous aidant de la figure de la page suivante.
   - Concentrez-vous sur la pinéale, au centre de votre tête, où vous dites intérieurement **paix**. Ressentez une légère pression ou un faible engourdissement dans votre tête. La paix se répand dans votre tête puis se localise au centre, à la glande pinéale.

- Dirigez-vous à l'hypophyse, entre les sourcils, où vous ressentez l'**harmonie**. Créez un pont de lumière avec l'âme qui unit les deux glandes.
- Descendez au cœur et placez de même le mot **amour**. Vous devez intensifier l'attention portée à la région cardiaque, et visualiser votre cœur comme un vortex d'énergie puissant qui entre en relation constamment avec votre environnement, les autres et vous-même. Cela pourrait vous faire ressentir joie, légèreté et même savoir.

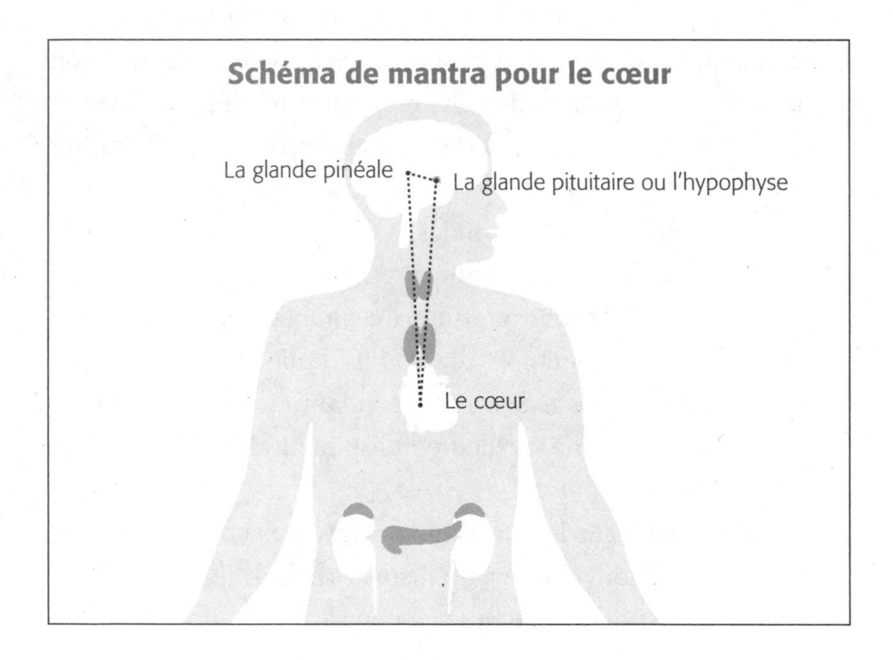

7. Visualisez une colonne de lumière bleue qui pénètre par la tête et irradie toute votre tête, se dirige vers vos yeux, vos oreilles, votre gorge, votre thorax, votre cœur, votre abdomen et jusque dans vos pieds. Vous pouvez choisir certaines parties de votre corps qui en ont davantage besoin. Cet exercice

de relaxation profonde devrait durer plusieurs minutes. Vous pouvez également utiliser la couleur dorée pour produire cet effet réparateur et régénérateur.

8. Observez ce qui vous est arrivé dans la journée et, en quelques mots, notez dans votre journal quotidien les événements principaux qui vous ont donné des impressions intéressantes, bonnes ou moins bonnes, de même que le ressenti que vous – ou d'autres – avez éprouvé. Observez le tout comme le ferait un simple témoin, sans aucun jugement. Ne consacrez pas plus de deux minutes à cette partie de l'exercice. Voilà un exercice qui devrait aider à garder un fil directeur dans votre vie, vous ancrer davantage dans le moment présent et même améliorer votre mémoire.
9. La récapitulation terminée, donnez à votre esprit ou à votre subconscient la permission de garder en mémoire ce qui va se passer dans vos rêves pour la nuit à venir. La nuit venue, tentez de tomber éveillé dans votre rêve.
10. Recherchez les coïncidences qui pourraient survenir au cours des jours à venir.
11. Donnez à votre subconscient ou à votre esprit les directives pour la journée qui débutera le lendemain. Formez des intentions et des directives de ce que vous voudriez voir arriver.
12. Exigez de la Lumière ou de l'Esprit universel (cette force qui gouverne tout) de vous assister dans cette démarche évolutive. Vous y avez droit. Vous êtes beaucoup plus grand que vous ne le pensez. Vous appartenez à l'univers.
13. Pendant quelques instants, posez-vous les questions suivantes: qui suis-je? Qu'est-ce que je veux dans ma vie? Qu'est-ce que je veux faire de cette vie unique, précieuse et merveilleuse qui m'appartient? Laissez les réponses arriver doucement.

14. Ensuite, restez assis en silence pendant deux minutes, alors que vous visualisez une boule bleue qui vous enveloppe. Concentrez-vous sur cette boule qui vous encercle et apporte tranquillité, bien-être, vitalité, énergie et protection.
15. Pour terminer, récitez sept fois chacune des trois phrases suivantes, comme une sorte de mantra. Vous devenez ce que vous dites avec fermeté et affirmation. Il serait bénéfique de mettre une de ces phrases dans vos pensées, surtout lorsque celles-ci deviennent confuses, désordonnées ou récurrentes durant la journée ou même la nuit lorsque vous vivez de l'insomnie. De plus, comme notre flot de pensées est constant, pourquoi ne pas réciter silencieusement un de ces trois mantras régulièrement ? Et puisqu'on ne peut penser à deux choses à la fois, mieux vaut choisir la pensée juste et positive
    1. **J'habite dans la lumière brillante du Christ [ou de l'univers].** La lumière brillante du Christ est ce principe universel d'amour, une loi qui a été décrite et véhiculée par Jésus de Nazareth vers la fin de sa vie. Vous pouvez prendre, selon votre choix, l'Esprit universel, l'Éternel, le Bouddha, Brahma, Allah ou tout autre grand sage ou maître. Si vous vivez des moments de perturbations, ajoutez: **Et rien provenant des ténèbres ne peut m'approcher.**
    2. **Je suis Lumière manifestée, Je suis ce que Je suis.**
    3. **Je manifeste parfaitement la Lumière que Je suis dans la joie et pour le plus grand bien de tous.**

Pour ceux qui se sentent plus à l'aise avec une version liturgique, le *Notre Père* serait tout indiqué. Cette prière a été celle que le grand initié Jésus aurait donnée à ses apôtres lorsqu'ils lui ont demandé comment prier. Cette prière est encore très moderne et représentative d'une invocation pour recevoir une évocation. Elle se déploie en deux temps. Au départ, les trois premières phrases s'adressent au Créateur, au Père. Contrairement aux prières usuelles, le croyant ne demande rien pour lui et s'écarte de ses préoccupations personnelles. Le « nous » remplace d'ailleurs le « je ». Le pratiquant s'adresse au Père et reconnaît son règne et sa création. Par le pardon demandé, il enlève la notion de faute et de réparation, et fait reconnaître ainsi la grâce et l'amour tout-puissants. Le mot « offense » n'existait pas dans la version originale : c'était plutôt le mot « dette » (du latin *debita*) qui était utilisé. Fait intéressant, nous retrouvons cette notion, non pas de péché, d'offense et encore moins de culpabilité, mais de conséquences à la suite de nos actes, de nos paroles et de nos pensées, ce qui rejoint la notion de karma ou d'action-réaction.

En résumé, voici le déroulement suggéré de l'exercice. Le temps alloué est variable selon votre état du moment et pourra être prolongé certains jours.

- Scanning corporel avec la couleur violette : 1 minute
- Respiration consciente : 3 à 5 minutes
- Triangle tête et cœur (7 fois) : 1 minute
- Descente de la lumière bleue : 2 minutes
- Récapitulation de la journée et prévisions à venir : 1 minute
- Maintien de votre présence dans la lumière bleue : 3 minutes
- Répétition du mantra dans la lumière : 3 minutes

Cette pratique vous appartient. Osez enfin prendre du temps pour vous : 15 minutes le matin et de nouveau le soir suffisent pour que vous deveniez graduellement le cocréateur de votre vie, pour que votre sommeil gagne en intensité et que vous ayez plus de vitalité et de qualité de vie. Vous n'avez rien à perdre, si ce n'est votre manque d'énergie, votre manque de créativité ou vos pensées moroses. L'important est la constance de la pratique. Même si, certains jours, vous êtes indisposé ou épuisé, cessez de procrastiner et sautez dans cette aventure stimulante et prometteuse à tous les niveaux. Vous ne pouvez qu'être gagnant.

La prise de conscience de nos pensées ainsi que le produit de pensées contrôlées et éclairées est primordiale pour créer une vie harmonieuse. Mettre ces deux façons de faire en pratique transformera graduellement votre vie pour le meilleur ; vous aurez ainsi l'opportunité de connaître la vie à laquelle vous aspirez et qui vous comblera. Je dis « l'opportunité » car il n'y a pas de garantie ; rien n'est tracé d'avance. Nous avons le libre arbitre en accord avec notre âme, à nous donc de déterminer ce que nous voulons dans cette incarnation.

5

Nous sommes Lumière

« La mort est un pas de plus vers notre Lumière. »

J'aimerais vous faire part de lumineuses paroles qui m'ont porté à réfléchir à plus d'une reprise au fil des ans. Il s'agit d'un passage d'*Un retour à l'amour*[12], de l'écrivaine américaine Marianne Williamson :

> Notre peur la plus profonde n'est pas que nous ne soyons pas à la hauteur. Notre peur la plus profonde est que nous sommes puissants au-delà de toutes limites. C'est notre propre lumière et non notre obscurité qui nous effraie le plus. Nous nous posons la question : qui suis-je, moi, pour être brillant, radieux, talentueux et merveilleux ? En fait, qui êtes-vous pour ne pas l'être ? Vous êtes un enfant de Dieu. Vous restreindre, vivre

---

12. Marianne Williamson, *Un retour à l'amour : réflexions sur les principes énoncés dans* Un cours sur les miracles, Montréal, Éditions du Roseau, 1993.

> petit, ne rend pas service au monde.[...] Nous sommes nés pour rendre manifeste la gloire de Dieu qui est en nous.

Pour Williamson, la lumière vit en nous. Se pourrait-il que nous soyons effectivement composés de lumière, et que cette lumière puisse nous influencer et influencer autrui ? Dans son acception courante, la lumière est un phénomène physique qui peut produire une sensation visuelle. Mais elle est beaucoup plus que cela. « Que la Lumière soit ! Et la Lumière fut. » Telle est la première parole de Dieu dans le récit de la création du monde. Selon les livres saints, la lumière est la toute première manifestation de la matière. Il en est de même pour les scientifiques, qui ont introduit le fameux Big Bang, ce modèle utilisé pour décrire l'origine et l'évolution de l'univers depuis près de 14 milliards d'années. Selon ce modèle, du néant est sorti un océan de lumière et de radiations, tandis que des particules s'assemblaient en millions de galaxies.

L'univers est donc rempli de rayonnement et l'énergie intervient constamment. Comme l'énonçait Einstein, $E = mc^2$, où la variable c représente la vitesse de la lumière dans le vide. La physique quantique décrit la composition de l'univers comme une combinaison d'ondes électromagnétiques, ou photons (« photon » signifie « lumière »). Le photon (quantum) est la particule élémentaire de tout cet univers dont nous faisons partie. De plus, depuis quelques années, nous parlons d'ondes scalaires, ces ondes spiralées lumineuses et invisibles, mais omniprésentes dans l'univers. Ces ondes seraient indispensables à notre survie.

À petite échelle, le corps humain émet constamment un rayonnement cellulaire et nos cellules interagissent entre elles et avec les ondes lumineuses qui nous composent. On appelle biophotons ces particules de lumière qui font partie de notre biologie. Notre ADN émet constamment des biophotons différents selon notre état de stress ou de santé. À plus grande échelle, l'observation des galaxies lointaines se définit dans le spectre du rouge. Bref, tout est lumière. **De l'infiniment petit à l'infiniment grand, tout est rayonnement lumineux.**

Selon la physique quantique, matière et lumière sont interreliées. Nous ne pourrions voir la matière si cette dernière n'était pas lumineuse. Cette énergie peut se manifester sous forme d'ondes lumineuses invisibles ou sous forme de particules visibles. En effet, plus la vibration énergétique de la lumière ralentit, plus nous entrons dans le monde physique et tangible que nous connaissons, que nous pouvons toucher ou voir. L'eau offre un bel exemple de cette affirmation. Lorsqu'on diminue sa vibration, les particules et les atomes qui composent l'eau ralentissent au point de se densifier. Elle devient alors solide sous forme de glace. Si on augmente sa vibration, et donc son énergie, la glace se transforme en eau, puis en vapeur et peut même disparaître à nos yeux. Pourtant, elle est toujours là. L'air que nous respirons est rempli d'eau sous forme d'humidité et de vapeur. Nos yeux ne peuvent voir cette eau en suspension car sa longueur d'onde se situe au-delà de notre spectre visible.

En d'autres mots, notre corps se compose... de lumière condensée. **Nous sommes la version « ralentie » de la lumière,** celle qui se présente sous forme de matière. Ainsi, comme le pressentait Mandela, nous sommes tous lumineux à notre insu ! Une partie de nous le sait mais l'a oublié. Ou, comme le disait Mandela, on regarde au mauvais endroit. On nous a appris à contempler notre obscurité, notre ombre, et non pas notre lumière ou qui nous sommes véritablement.

Nous sommes en quelque sorte aveugles aux phénomènes de plus haute vibration parce que nos sens sont limités. Nous limitons la réalité à ce que nous en percevons par le biais de ce que nous voyons, entendons, goûtons, sentons et touchons. Mais le monde invisible est beaucoup plus vaste que notre monde visible et fini ! Par exemple, la lumière peut voyager à une vitesse vertigineuse, soit environ 300 000 kilomètres/seconde. En une seule seconde, elle franchit près de 300 000 kilomètres ! Même à cette vitesse, qui peut sembler incroyable, la lumière mettra tout de même des heures pour atteindre des sondes spatiales ou d'autres planètes. Difficile à concevoir pour nos sens limités...

L'HOMME : UNE ÉTINCELLE DIVINE ?

Puisque nous sommes constitués de particules lumineuses intelligentes, se peut-il que Dieu (ou le Créateur, l'Absolu, la

Force universelle, le Mental universel, les Intelligences systémiques, appelez-le comme vous préférez), dans sa grande magnificence et omniprésence, ait voulu mettre sa création au défi et qu'il ait permis à des entités lumineuses (âmes, fils et filles de lumière divine) de s'incarner dans la matière ? Ou même qu'il ait voulu ressentir ce qu'Il venait de créer ? Peut-être sommes-nous ces étincelles divines, ces guerriers pacifiques descendus sur cette plate-forme évolutive, ce laboratoire que nous appelons Terre ? Le mot « guerrier » que j'emploie ici est tout à fait à la hauteur, car il fallait effectivement être doué de courage et d'audace pour affronter le monde matériel. Malheureusement, si tel est le cas, il semble que nous ayons perdu conscience de notre nature véritable lors de notre incarnation.

Le monde dans lequel nous avons été parachutés est restrictif, délimité par le temps et l'espace. Nos sens, très peu développés par rapport à ceux des animaux (pensons au chien dont l'odorat est 10 000 fois plus développé que celui de l'être humain et qui peut même dépister un cancer à ses débuts plus rapidement que les scanners et la technologie médicale la plus avancée), nous imposent également des limites. Nous sommes donc vulnérables face à notre environnement, à la merci d'un monde physique où tout est à apprendre. Nous nous concentrons sur notre survie physique, attentifs à la nourriture, au gîte pour nous protéger des intempéries ou des animaux. Ayant perdu notre connexion céleste et divine, n'ayant plus conscience de qui nous sommes et de notre unité avec le Tout, nous sommes en proie à la peur, qui fait désormais partie de notre incarnation, tout comme elle fera partie de notre mort.

Les grandes croyances décrivent certains êtres d'exception comme des êtres lumineux. On peut penser ici à Jésus, saint-Pierre, Bouddha, ou autre. Ils étaient tellement lumineux qu'on les représente dans les tableaux et les icônes ornés d'une auréole ou d'un halo de lumière autour de la tête. Peut-être des témoins ont-ils pu remarquer la lumière intense qui irradiait de ces augustes personnages…

Dans la plupart des cas, cependant, notre lumière n'est pas assez forte en intensité et en fréquence pour que nos yeux puissent la discerner au-delà du spectre visible. De là l'importance de développer tous les jours la puissance de notre lumière et de vraiment nous ancrer dans cette représentation que nous sommes plus qu'un simple corps physique. Plus notre conscience grandit, plus notre lumière s'intensifie. Comment élaborer un corps physique plus lumineux, de plus en plus puissant et capable d'accomplissements remarquables ? En prenant conscience davantage de nos possibilités. Un jour, l'Homme cessera de se gaver de connaissances et réalisera qu'il possède le savoir dont il a besoin pour créer. Évidemment, tout cela n'est pas pour demain ! Mais il nous faut dès maintenant commencer à visualiser notre potentiel divin, d'hommes-dieux, de surhommes…. Croire en ce potentiel est le jalon primordial et fondamental pour mettre les choses en branle.

LA LUMIÈRE, SOURCE DE VIE… ET DE SANTÉ

Ces dernières décennies, nous avons appris à craindre les rayons solaires, certains ayant même peur de sortir à l'extérieur comme si la nature avait fait erreur. S'il est vrai que nous devons nous protéger d'un excès de ses rayons, le Soleil est sans contredit source de vie sur Terre. Grâce à la photosynthèse, la lumière est la première source d'énergie des écosystèmes terrestres. Elle permet également la stérilisation des polluants microbiens et la production de la vitamine D et des bioflavonoïdes, tous protecteurs pour le corps humain. À long terme, nos craintes pourraient nous faire beaucoup plus de mal que quelques rayons lumineux...

Selon le Collège Santé de l'Association française de l'éclairage (AFE), la lumière influence constamment notre biologie, même si nous y accordons peu d'intérêt. Des glandes maîtresses, telles la pinéale et la pituitaire, sont des centres importants pour la santé de tout le corps humain. J'ai exposé leur importance en détail dans mon livre *La santé repensée,* de même que la façon dont il convient de travailler avec elles pour notre régénération. On les associe parfois à un troisième œil; les rayonnements solaires les influencent et elles influencent à leur tour toutes nos autres glandes. Dans les années qui viendront, on découvrira peut-être à même ces glandes de nouvelles molécules qui pourront augmenter notre bien-être physique et psychologique.

Quand j'ai commencé à pratiquer la médecine, on utilisait déjà la lumière comme thérapie dans les cas de jaunisse, ou ictère du nouveau-né, pour diminuer la bilirubine issue de la dégradation des globules rouges qui pourrait dégénérer en hépatite. Le simple fait de placer un bébé atteint sous une lampe lumineuse pour quelques jours, tout en protégeant ses yeux, fait redescendre rapidement le taux de bilirubine et, par conséquent, sa toxicité. Cette technique est encore couramment utilisée de nos jours. D'ailleurs, pour une cure ou une convalescence, rien de mieux qu'un séjour ensoleillé au bord de la mer !

La science devrait cependant accorder plus d'attention à la lumière. En effet, on oublie trop souvent ses multiples possibilités thérapeutiques. Elle peut notamment aider à combattre le décalage horaire et le vieillissement, et constitue un élément thérapeutique pour les dépressions saisonnières dans les pays froids. La photothérapie permet de cibler des tumeurs cancéreuses et même de traiter certains cancers comme celui de la peau. La lumière laser est devenue un outil indispensable en chirurgie. J'ai travaillé avec la thérapie de la lumière, selon laquelle on utilise différents spectres lumineux pour aider le corps à se remettre en santé. La biologie de notre corps réagit favorablement selon les couleurs appliquées pour favoriser la guérison des organes, ou simplement notre mieux-être.

La thérapie par sauna de rayonnement infrarouge éloigné est une technique simple, agréable et peu coûteuse. L'infrarouge éloigné guérit, relaxe et désintoxique. Je m'en sers régulièrement à la maison avec succès. Il faut développer davantage la science de la photothérapie. Les avancées de haute technologie en matière de lumière pourront nous faire comprendre les bienfaits naturels déjà présents dans la lumière et comment les utiliser ultérieurement pour notre bien-être.

Partout, la lumière et la couleur nous influencent. Même la couleur de nos vêtements nous affecte positivement ou nous infecte, selon le cas. Porter une cravate rouge, par exemple, peut nous donner le courage d'affronter un patron rigide et exigeant. Nous savons que le bleu relaxe, que le vert guérit, que le rouge stimule, que l'orange aide la créativité. Bref, il faut prendre soin de conserver la lumière et les couleurs dans notre vie !

6

Par-delà les limites du monde visible

« La mort est la disparition du monde physique, c'est-à-dire des apparences uniquement. »

Y aurait-il un monde invisible à nos yeux de mortels ? C'est tout à fait possible puisque, comme nous l'avons vu, notre spectre visuel est très peu développé. Nous ne voyons qu'une infime partie de tout ce qui existe autour de nous. Nous ne voyons pas les ondes radiophoniques ou de télévision, pas plus que le rayonnement solaire, par exemple, et pourtant ils sont bien là. Ils nous traversent même constamment, et pourtant nous ne voyons toujours rien ! L'espace est rempli d'ondes de différentes vibrations que nous ne voyons pas, mais qui nous imprègnent et qui assurent notre survie.

DES PHÉNOMÈNES INSOLITES

L'œil humain est très sélectif et ses étroites capacités ne lui permettent pas de capter les différentes fréquences qui composent l'univers. Il n'est donc pas irréaliste de considérer que nous sommes quasi aveugles à l'immensité qui nous entoure. Nos amis les animaux entendent, ressentent et voient beaucoup plus que nous, de l'aigle au regard perçant au chat fasciné qui regarde fixement un coin du plafond. Mais que voit-il ? Mon chat suivrait-il des yeux quelque chose que je ne vois pas ?

Cela me fait penser à mon fils de cinq ans qui avait toujours peur le soir dans sa chambre à coucher. Il ne voulait pas m'avouer ce qui lui faisait peur et l'amenait à repousser ses meubles contre le mur pour s'assurer que rien ne pouvait se cacher derrière. Un soir, alors que je lui racontais une histoire, je le vois regarder au plafond. Je lui demande ce qui attire son regard. Il ne me répond pas mais continue de fixer le plafond. Il ne semble pas effrayé outre mesure, mais je vois une lueur ambiguë sur son visage, de même qu'un peu d'appréhension. Doucement, je lui demande ce qui l'inquiète.

– Mais ne vois-tu pas, papa, en haut ?

– Mais où, en haut ?

– Sur les pales du ventilateur !

– Mais voir quoi ?

– Lui qui nous regarde !

– Mais de qui parles-tu ?

– Du petit bonhomme qui nous regarde... Il est assis sur la pale du ventilateur et il me regarde.

– À quoi ressemble-t-il ?

– Il est tout petit comme ça, me dit-il en éloignant ses mains d'une trentaine de centimètres.

Je réalise pour la première fois qu'il voit quelque chose que je ne vois pas... ou que je n'ai plus la faculté de voir.

– A-t-il l'air méchant ? Est-il souriant ?

– Il a l'air tranquille et il me sourit. Il vient me voir tous les soirs pour me regarder dormir.

– Donc, tu vois, c'est un ami gentil. Il aime te regarder et c'est pourquoi il te sourit. Il est heureux que tu le regardes. Ne t'inquiète pas, il ne te veut aucun mal. Il aime te voir car tu as le cœur pur, il ressent ta douceur et ta gentillesse et tu le rends heureux et peut-être même que tu l'intrigues. Je te remercie de m'avoir raconté ton souci. Maintenant détends-toi car tu n'as plus besoin d'avoir peur. Le vois-tu encore ?

– Non, il a disparu. C'est souvent ainsi, il me regarde puis il disparaît.

Les apparitions de son ami se sont espacées graduellement. Je comprenais maintenant son appréhension au moment du coucher et son habitude de repousser ses meubles; il voulait s'assurer qu'un petit bonhomme ne puisse se cacher derrière. Quelques années plus tard, alors que nous voyagions dans les déserts de l'Arizona parmi les tribus navajos, mon fils avait été intrigué par un objet artisanal local. Je lui avais expliqué que ce cerceau de bois orné de fils tressés et de plumes s'appelait un «capteur de rêves». Ce capteur de rêves empêche les mauvais rêves pendant le sommeil. Ils sont emprisonnés dans ce filet et lorsque le jour se lève, ils sont brûlés par les rayons du soleil. En moins de deux, Philippe avait empoigné le capteur de rêves, voulant à tout prix le rapporter avec lui. À partir de ce moment, ses nuits furent plus paisibles et ses inquiétudes nocturnes s'évanouirent complètement.

Je suis convaincu que les enfants ont une vision plus développée que les adultes. Peut-être ont-ils la possibilité de voir dans un spectre de longueur d'onde plus étendu. C'est ce qui expliquerait que nous pouvons souvent voir des bébés amusés ou intrigués fixer un endroit dans la maison ou autour de nous. Peut-être sont-ils susceptibles de «voir» des images chimériques pour nous? Peut-être ont-ils une certaine forme de clairvoyance innée que nous perdons au fur et à mesure que nous grandissons et que nous nous moulons au monde des adultes, où le mental humain rationnel repousse ces perceptions et interdit en quelque sorte de les accepter et même d'en parler. L'adulte m'apparaît en effet coupé de cette transcendance naturelle par des règles restrictives et des influences qui l'ont séparé de sa capacité spontanée à voir que tout est entrelacé. Pourtant, nous l'avons vu précédemment : nous sommes un microcosme inséré dans le macrocosme et nous sommes interreliés à tous les niveaux.

L'adulte veut que l'enfant entre dans le monde adulte du connu et qu'il se coupe graduellement de l'être qu'il est véritablement, pour ne pas dire de sa divinité inhérente. En tant qu'adultes, nous avons perdu notre fluidité, notre sensibilité, notre niveau vibratoire élevé qui nous empêche d'être connectés à des vibrations plus subtiles. Se pourrait-il que cette coupure, cette capacité défaillante de percevoir d'autres réalités nous empêche de comprendre aussi le monde invisible et tout autant celui de la mort ?

Nous éprouvons beaucoup de confusion devant les phénomènes inhabituels ou carrément insolites. Je compare souvent le cerveau humain et ses capacités d'intégration à une radio. Nous pouvons tourner le bouton de syntonisation pour capter les ondes mais, entre deux stations, il y a beaucoup d'interférences et de parasitage de sorte que nous ne pouvons rien capter, ce qui nous laisse dans l'ignorance de ce qui s'y trouve. Nous n'endossons pas véritablement notre unicité, cette unité où tout est intégré, comme le démontrent la physique quantique et les religions orientales.

Alors que je n'avais que 10 ans, ma famille et moi passions l'été à la campagne. Ces deux mois étaient l'occasion de renouer avec la nature. L'expérience était totale, car nous n'avions ni l'électricité, ni la poste et encore moins la télévision ou le téléphone ! Un temps révolu où le téléphone cellulaire n'existait pas ! Les nouvelles nous parvenaient une fois par semaine alors que mon père venait passer le week-end avec nous pour retourner le lundi à son travail. Un jeudi matin, ma mère me dit : « Ton oncle Roger est décédé. » J'ai cru avoir mal entendu, puisque personne n'était venu annoncer une telle nouvelle. Je lui dis :

– Comment sais-tu qu'oncle Roger est mort ?

– Il me l'a dit ce matin.

– Comment peut-il t'avoir parlé, s'il est décédé ?

Ma mère m'a regardé, hésitante, désireuse de continuer la conversation mais incertaine de pouvoir aborder ce type de sujet avec moi.

– Je vais te raconter, mais ne sois pas trop surpris. C'est la deuxième fois que cela m'arrive. Avec oncle Arthur, le même phénomène s'est produit. Pour ma part, je ne m'en fais pas, ce sont des choses qui arrivent et cela fait partie de la vie. Ce matin, alors que j'étais en train de ramasser les feuilles, j'ai vu oncle Roger devant moi à environ trois mètres. Il m'a dit : « Sois rassurée, tout va bien pour moi. J'ai quitté ton monde hier et je me porte bien. » Avec le sourire, il m'a dit de faire le message à mes sœurs.

À cette époque, il était peu commun d'avoir des contacts avec des êtres désincarnés alors qu'aujourd'hui, le phénomène est beaucoup plus courant et médiatisé. Le cas de cette rencontre fortuite entre ma mère et mon oncle décédé a sûrement joué un rôle dans mon questionnement portant sur les personnes décédées et sur ce qui les attend après la mort. On note aujourd'hui un regain d'intérêt chez le public en général pour les questions philosophiques entourant la vie, la mort et les disparus de notre monde physique. Les livres de l'auteure Sylvie Ouellet traitent de ce sujet tout en douceur. Cette quête de l'au-delà nous permet de diminuer notre anxiété, de mieux vivre et de développer plus de discernement face à des épreuves que nous ne pouvons expliquer. Philosopher sur la mort, c'est en quelque sorte jouir plus intensément de la vie tout en s'affranchissant de la peur de cette grande inconnue sur laquelle nous n'avons aucun contrôle.

L'anecdote qui suit en témoigne. Un jour, un jeune homme dans la vingtaine me consulta pour un bilan de santé. Il se sentait très mal et avait peur d'être atteint d'un cancer ou d'une autre maladie grave bien qu'aucun symptôme ne laissait entrevoir un tel état. Des amis l'avaient dirigé vers mon cabinet en lui disant que je pourrais probablement l'aider. Il avait déjà rencontré plusieurs médecins et on lui avait prescrit des antidépresseurs, qu'il prenait assidûment. Le questionnaire et l'examen physique me montrèrent qu'il était en excellente forme. D'ailleurs, à 20 ans, les chances d'être très malade sont moins grandes. Je compris que la raison première de venir me consulter n'était pas, comme il le laissait entrevoir, d'obtenir un autre bilan pour se rassurer. Pourquoi ce jeune homme était-il donc dans mon cabinet ? Quel était le véritable motif de sa visite, quel était son malaise inavoué ? Après lui avoir dit que tout était normal sur le plan de sa santé physique, je le regardai calmement et lui demandai : « Depuis quand ressens-tu ce malaise ? » Il déclara que ça faisait déjà un an.

– Que s'est-il passé dans ta vie de très important, il y a un an ?

– J'ai perdu mon père, il est décédé à la suite d'un long cancer qui a duré trois ans.

– Qu'est-ce que tu ressens depuis ? As-tu peur de quelque chose ?

Il m'avoua alors que la mort lui faisait terriblement peur, qu'il avait toujours eu de bonnes relations avec son père mais qu'il ne savait rien de la mort. Il voulait en savoir davantage et surtout, sur la destinée de son père. J'ai rassemblé mes idées sur la mort à partir de toutes les différentes lectures que j'avais faites à ce sujet. Je lui ai répondu que nous allions tous mourir un jour et que je ne connaissais personne qui ait survécu à la mort. C'est un phénomène naturel tout autant que la vie.

– Ton père est actuellement soulagé de ses souffrances physiques et psychologiques. Il n'a plus ce corps qui l'a fait souffrir si péniblement. Si nous pouvions l'entendre, je crois qu'il dirait que tout va bien pour lui, qu'il est entouré d'êtres aimants, qu'il pense à toi, qu'il t'aime et que sa grande joie serait que tu cesses de t'inquiéter pour lui car lui s'inquiète davantage pour toi quand tu t'attristes de sa disparition du plan physique terrestre.

Alors que je lui parlais ainsi, j'ai vu ses yeux s'allumer et tout son visage devenir détendu et serein. Il se leva brusquement de sa chaise et s'approcha pour me tendre une main solide et généreuse tout en me remerciant sincèrement. Il quitta le bureau souriant car il avait enfin trouvé la source de son malaise et le traitement à son tourment. Hélas !, tous les tourments de la vie ne se règlent pas aussi facilement et rapidement. La souffrance est très présente dans notre monde occidental malgré tout ce confort matériel qui nous entoure et il n'est pas rare que la vie se termine de façon dramatique. L'homme affligé ou déprimé se questionne sur sa raison d'être, sur sa présence ici et lorsqu'il ne trouve pas de raisons acceptables, il risque d'emprunter le sombre chemin qui met fin à sa vie prématurément.

LE SUICIDE : LA MORT QUI ATTIRE

J'étais un enfant studieux, sportif, aimé et aimant la vie. Boute-en-train à mes heures, je faisais partie du conseil de classe, de la chorale et pourtant… une préoccupation me tourmentait. Je me demandais ce que je faisais sur cette Terre. Qui étais-je donc ? Voilà une question inhabituelle pour un enfant de 12 ans qui a tout pour lui. Cette question était entachée d'inquiétude, d'embarras. La dépression n'était pas bien loin. Eh oui, par moments, je voyais beaucoup de misère et de souffrance sur la planète. De plus, j'avais tendance à me dévaloriser si je n'avais pas été à la hauteur, à me culpabiliser même. Pourquoi toutes ces noires réflexions venaient-elles assombrir le ciel pourtant si bleu au-dessus du jeune enfant que j'étais ?

Le manteau de la mort aurait pu se déposer sur mes épaules d'enfant, et je ne la craignais pas. L'idée du suicide me hantait parfois. « Pourquoi pas ? » me disais-je. Heureusement, la peur et la notion de péché chassaient cette envie ridicule de quitter le plan terrestre. Avec les années, cette idée saugrenue de mort s'est éclipsée et la lumière au bout du tunnel s'est présentée alors que je m'intéressais à l'après-vie et aux conséquences du suicide. La notion de suicide et de ses répercussions sur autrui et sur soi-même a changé ma notion de la vie elle-même.

Je me plais à croire que ce n'est pas un hasard, car le hasard n'existe pas, si je recevais régulièrement des patients comateux qui avaient tenté de se suicider pendant les années où j'ai été médecin en salle d'urgence. J'étais équipé médicalement pour les ramener à la vie... mais davantage pour les ramener à la joie de vivre ! La vie, la mort et le suicide avaient été des sujets d'étude au cœur de mes préoccupations. Je me souviens des commentaires des infirmières de l'urgence qui soignaient ces survivants de leur expérience cauchemardesque : « Mais docteur Brouillard, qu'est-ce que vous leur faites, aux patients ? Nous pouvons très vite leur donner congé de la salle d'urgence et de plus, ils ont perdu leur tristesse ! » Évidemment, il n'y avait pas de médicament miracle et encore moins d'antidépresseur qui avaient effacé tous ces tourments. Ce que je leur donnais, c'était simplement mes connaissances de la vie et de la mort qui éveillaient chez eux un sentiment d'appartenance à quelque chose de plus merveilleux.

Les cas de tentatives suicidaires étaient nombreux à l'urgence de l'hôpital Maisonneuve, où j'ai effectué une partie de ma carrière. Les conditions de vie dans le milieu défavorisé où l'hôpital est situé étaient en partie en cause. Un soir, la sirène criarde annonce une ambulance qui s'amène : voilà que les ambulanciers poussent à toute vitesse une civière dans la salle de réanimation. Une jeune fille inconsciente, début vingtaine, s'est tailladé les poignets. Elle n'en est pas à sa première tentative, puisque je peux constater la présence de dix entailles sur ses avant-bras. Celles-ci doivent dater de plusieurs mois, ou même d'années. Ses incisions ne sont pas tellement profondes et la personne qui l'accompagne rapporte que c'est arrivé il y a probablement deux heures. L'état de conscience de la jeune femme me laisse cependant entrevoir quelque chose de plus grave. Pendant que je questionne son accompagnateur, celui-ci retire de ses poches deux petites bouteilles, deux flacons de comprimés maintenant vides : l'un contenait des antidépresseurs et l'autre, de l'aspirine. Voilà qui complique la situation, car la consommation en grande quantité d'acide acétylsalicylique (aspirine) rend difficile le retour des intoxiqués à la conscience normale. De plus, les dangers de confusion, de troubles métaboliques rénaux et respiratoires sont toujours très importants, voire mortels.

On introduit aussitôt une sonde gastrique chez la jeune femme et on pratique un lavage d'estomac avec du charbon activé. Simultanément, on applique des compresses locales aux bras, on suture quelques lacérations, on met en place des solutés intraveineux, bicarbonates, etc., pour maintenir alcalin le pH sanguin. Les bilans sanguins n'affichent toutefois pas des taux élevés et l'hémodialyse ne sera pas nécessaire.

Six heures plus tard, la jeune femme reprend conscience. Je discute avec elle des problèmes psychologiques pour lesquels elle a eu quelques suivis en psychiatrie, suivis auxquels elle a mis un terme prématurément. Je lui propose de reprendre contact avec son psychiatre dans les jours suivants et me permets également de faire une psychothérapie de soutien avant son départ de la salle d'urgence. Je lui donne un rendez-vous en clinique externe pour aller plus en profondeur sur sa vie malheureuse et ses multiples tentatives de suicide. Nous avons passé plus d'une heure à discuter du sens de la vie et de la mort. Elle réalise que la mort n'est pas une solution, qu'on ne peut se soustraire à la vie puisque la conscience poursuit toujours son cheminement.

Le suicide est beaucoup trop fréquent dans la plupart des pays. Selon les statistiques canadiennes, dix personnes se suicident chaque jour au pays. Bien qu'il soit à la baisse depuis quelques années, ce nombre est encore trop élevé. Chez les jeunes Autochtones, le taux de suicide est dix fois plus grand que chez les autres jeunes Canadiens. Dans certaines communautés, le taux de suicide chez les garçons dépasse 100 suicides par 100 000 habitants, une différence marquée comparativement à la moyenne nationale de 10 suicides par 100 000. Dans certaines communautés autochtones du Labrador, le taux serait jusqu'à 25 fois supérieur à celui du reste du Canada[13].

Chez nos aînés, c'est la solitude qui fait des ravages. Nombreux sont ceux qui « souffrent » d'indépendance ou qui, en d'autres mots, ne veulent pas dépendre d'autrui ou déranger, de peur d'être rejetés ! « Mes enfants sont très occupés et je ne veux pas leur causer de souci », disent-ils. Voilà qui pose problème. Pourtant, certains de ces mêmes aînés ont besoin de soins et d'aide pour leurs besoins quotidiens. Ainsi laissés à eux-mêmes, il n'est pas étonnant qu'ils se sentent déprimés et veuillent en finir au plus vite. Cette volonté d'une partie de la société de vivre de plus en plus dans un état d'indépendance, sans besoin de l'autre, contrevient à la nature fondamentale de l'être humain.

Il devient impératif de nous pencher sur les notions de vie et de mort, de manière à changer complètement notre vision du suicide, perçu à tort comme une solution à nos malaises existentiels. Le suicide n'est surtout pas une solution pour une personne en difficulté. Chacun de nos actes et de nos gestes a des répercussions, pour nous d'abord, car la mort (la nôtre ou celle des autres) n'est pas un geste sans conséquence, mais aussi pour les autres qui auront à surmonter brutalement la

---

13. Allison Crawford, « Suicide chez les Autochtones au Canada », *L'encyclopédie canadienne*, 22 septembre 2016. En ligne : www.thecanadianencyclopedia.ca/fr/article/suicide-among-indigenous-peoples-in-canada.

perte d'un être cher disparu trop tôt. Quand nous sommes descendus au fond du baril, il ne faut pas hésiter à demander de l'aide. N'oublions pas, nous sommes des êtres de relation et de société ; c'est notre nature fondamentale de nous sentir aimés et d'aimer.

Parler de la mort, c'est aussi une question de vie !

7

Vivre toujours : un rêve vieux comme la Terre

« Tous les hommes devront mourir car nous souffrons tous d'une malade mortelle, la mort… Ils devront même, de leur vivant, mourir à eux-mêmes. »

La Terre tourne et nous rejouons une année après l'autre le même scénario. La guerre à grande échelle a momentanément cessé de nous inquiéter mais les conflits de moindre envergure sont présents partout sur la planète. Nous ne mourons pas de faim dans les pays industrialisés mais davantage de trop manger. Nous ne souffrons pas de famine mais de malbouffe ; nous sommes givrés par l'abondance de sucre et d'aliments ultra-transformés remplis de colorants et d'agents de conservation qui ne nous préservent en rien de la mort. Notre alimentation tue plus de gens que la guerre et le terrorisme réunis. Notre espérance de vie semble stagner en haut sur sa courbe exponentielle devenue plate. Et vous, vous allez bien ?

L'IMMORTALITÉ À NOS PORTES

Au Canada, on peut maintenant espérer vivre plus de 80 ans. Mais ne pourrait-on repousser encore davantage cette échéance inéluctable jusqu'ici ? L'immortalité sera-t-elle une option un jour ? On nous fait miroiter la possibilité que, d'ici 100 ans, la science pourra donner l'immortalité aux personnes désirant prolonger leur vie. Cette hypothèse est-elle envisageable ? Peut-on imaginer vivre 500 ans, voire 700 ans ? Quels seraient les effets d'une telle longévité ? Deviendrions-nous désabusés ? Souffririons-nous d'une nostalgie mortelle en voyant nos proches disparaître l'un après l'autre ? Voudrions-nous recourir à la mort assistée ?

À l'aube du troisième millénaire, il faut réfléchir à toutes ces questions car bientôt, nous serons à même de revitaliser les tissus vieillissants et de fabriquer des organes qui serviront de pièces de rechange. En effet, la plupart des morts sont causées par un cœur qui flanche, une artère qui se bouche, une cellule cancéreuse qui présente une mutation génétique aberrante, un microbe qui s'est infiltré par inadvertance dans nos reins... Le jour n'est pas loin où tous les organes pourront être remplacés par de nouveaux, plus jeunes, plus performants. Nous aurons accès à des organes synthétiques faits par des imprimantes 3D, ou encore nous aurons compris le fonctionnement de nos cellules embryonnaires et serons à même de reproduire sans le rejet habituel nos propres organes fatigués ou détruits. Mais pour atteindre à l'immortalité, il faudra que le corps complet participe à ce rajeunissement. Car à quoi pourrait bien servir un nouveau foie ou un nouveau cœur si le cerveau montre des signes évidents de sénilité ? Et même si nous détenons la clé de l'ADN au point de permettre au cerveau de se régénérer, qu'adviendra-t-il de l'intelligence, des émotions, de la capacité de réflexion ou même de la conscience de l'individu ? L'évolution des technologies pourrait-elle mener, au final, l'Homme tel qu'on le connaît à sa perte ? À égarer en chemin la beauté, l'originalité et la richesse qui le distinguent des autres créatures ?

On a commencé à introduire des génomes cérébraux pour rajeunir le cerveau, à produire des vitamines synthétiques, à ramener des vaisseaux sanguins de cadavres à la vie. On ne se limite plus à remplacer ; on développe. Les GAFAM (Google, Apple, Facebook, Amazon, Microsoft) misent en effet pour la plupart sur le développement physique et mental de l'être humain. Les ordinateurs de demain auront un début de conscience, et on tentera de fusionner le cerveau humain avec le *cloud* informatique. Il n'y a pas que les films qui auront des hommes machines. L'unification de l'Homme avec la machine ne semble plus si loin... Tout cela ne serait-il que chimères ? Pour certains, cela ne l'est assurément pas. Des chercheurs et des hommes d'affaires richissimes tenteront à coup sûr un jour de vendre l'immortalité : mort à la mort ! Il semble d'ailleurs que Google et PayPal aient misé sur cet ambitieux projet. Selon ces entreprises, l'Homme aura vaincu la mort d'ici 100 ou 200 ans tout au plus. Les chanceux qui auront tenté l'expérience, ces milliardaires pseudo-immortels, seront-ils plus heureux dans leur corps rajeuni ? Ils seront devenus des a-mortels, sans date d'expiration, mais pourront toujours mourir des suites d'un accident, d'un tsunami ou d'une guerre. L'immortalité est-elle un projet réalisable ? La quête de l'immortalité est-elle la réponse à la peur de la mortalité ? Cette conservation de la vie biologique à tout prix ne proviendrait-elle pas de ce fait ignoré ou oublié que nous savons que nous sommes déjà immortels ? Ultimement, qui aura le dernier mot au moment de quitter ce monde terrestre ? L'âme ne serait-elle pas, en tout dernier office, le grand maître d'œuvre ?

Ailleurs, d'autres se penchent sur les mystères de la nature et tentent d'y trouver des applications concrètes pouvant servir la lutte au vieillissement. La shungite, par exemple, est un minéral noir de météorite présent sur Terre depuis deux milliards d'années et dont le gisement d'exploitation principal se situe en Russie. Elle est principalement composée de carbone. En fait, sa particularité est qu'elle peut contenir 60 atomes de carbone (ou plus), que l'on nomme fullerènes, ou carbone 60. Les trois chercheurs qui en ont fait la découverte se sont vu attribuer le prix Nobel de chimie en 1996. Cette pierre constitue un bouclier que l'on dit efficace contre les ondes électromagnétiques néfastes pour l'être humain. De nombreux chercheurs et médecins russes en font d'ailleurs l'usage depuis longtemps dans les hôpitaux. Certains lui attribuent même des propriétés favorisant une plus grande vitalité et une augmentation de la longévité. On remarque aujourd'hui un engouement marqué pour les propriétés de cette pierre météorite. Une étude[14] réalisée en 2012 sur des

---

14. Tarek Baasti et coll., « The prolongation of the lifespan of rats by repeated oral administration of [60]fullerene », *Biomaterials*, vol. 33, n° 19, 2012, p. 4936-4946. DOI : 10.1016/j.biomaterials.2012.03.036.

rats, à qui l'on avait administré oralement du fullerène C60, a montré une prolongation de l'espérance de vie de plus de 90 %. L'étude avait été faite avec du C60 de synthèse dilué dans de l'huile d'olive et avait été donné par gavage et par injection intrapéritonéale (abdominale) aux animaux. Il ne s'agit que d'un exemple des nombreuses études qui ont pour objet de prolonger la vie. À n'en point douter, les prochaines années verront de nombreuses percées dans ce domaine.

ET SI LA SOLUTION ÉTAIT AILLEURS ?

Au-delà de la médication et de la chirurgie, les médecins ont beaucoup à apporter aux personnes souffrantes. En première ligne quand la mort approche ou survient, ils ont développé une proximité avec elle, sont plus familiarisés avec le concept même et les façons de faire, et peuvent accompagner efficacement proches et patients sur ce chemin. S'interroger sur la mort et trouver des hypothèses de réponse, même si celles-ci ne sont pas reconnues sur le plan scientifique, leur est donc naturel ; c'est quasiment un préalable pour soutenir véritablement les gens. Mais le rôle des médecins ne se limite pas à accompagner les patients en fin de vie ; ils sont présents au quotidien, pour soulager la souffrance de tous les jours. Ils peuvent, par une présence chaleureuse et une écoute attentive, faire une différence significative dans la vie de ceux qu'ils traitent.

Devant la chronicité de leurs maladies, bien des gens tentent de se guérir eux-mêmes en s'appuyant sur l'information offerte sur le Web. Mais Internet est bien souvent un leurre :

on y trouve quantité de solutions miraculeuses et... inutilement coûteuses. D'autres courent de praticien en praticien, à la recherche du traitement miracle. Mais... nous sommes des êtres physiques, émotionnels, spirituels et dotés d'une faculté que l'on appelle le mental. Ne traiter qu'un seul de ces trois corps équivaut à tourner en rond ou, pire, à ce que la maladie dégénère ou attaque d'autres systèmes. Il est impératif d'aller à la source des problèmes et la médication seule ne peut les résoudre. Sans spiritualité authentique, la médecine technologique déshumanise les êtres que nous sommes. Et pour traiter tous les corps d'une personne, un médecin doit prendre le temps, parler, toucher, établir une proximité.

Récemment encore, je recevais une dame, directrice d'une grande entreprise et maintenant à la retraite, qui souffrait depuis 15 ans de divers problèmes de santé. Plus je l'écoutais, plus je percevais l'insécurité qui l'habitait. Nous avons passé plus d'une heure ensemble, au cours de laquelle elle a complété un questionnaire exhaustif. Après avoir procédé à un examen méticuleux et étudié les résultats de ses tests en laboratoire et en radiologie, je l'ai rassurée en lui disant exactement ce qu'il en était de sa situation. Malgré des résultats d'examen de résonance magnétique troublants pour un patient (mais peu inquiétants pour le médecin), son cas n'était pas dramatique, loin de là. Elle était représentative de la moyenne des gens de son âge. Les gens en bonne santé souffrent souvent d'arthrose radiologique sans ressentir de douleur. L'arthrose fait partie d'un vieillissement normal. Son cas ne présentait aucune gravité et, avec un mode de vie mieux adapté, ses douleurs allaient disparaître aisément et sa qualité de vie reviendrait. La dame a semblé heureuse et rassurée tout à la fois de l'apprendre, et a quitté mon bureau, visiblement soulagée. Cinq secondes plus tard, la porte s'est ouverte. La même dame m'a regardé et m'a dit : « Est-ce que je pourrais faire un commentaire ? » « Assurément », lui ai-je répondu. « C'est la première fois qu'on me fait un examen manuel aussi détaillé sur le site de mes douleurs. Mon médecin ne m'a jamais touchée. Il regarde mes résultats aux tests et mes radios, c'est tout. Merci, docteur. »

Que retenir de ce cas ? Bien évidemment que nous manquons de contact humain. La technologie et la science ne guérissent pas une personne inquiète face à la maladie ou une mort imminente. Le contact humain est probablement le traitement à bien des maux contemporains. Nous évoluons avant tout dans un monde de relations et, peu importe notre travail, c'est toujours la qualité de la relation personnelle que nous recherchons et qui nous apporte satisfaction. Et, dans le cas décrit, une meilleure santé et une espérance de vie majorée !

Mais demeurons modestes... Comme je l'explique dans mes conférences, la simple adoption d'un mode de vie sain permettrait d'éviter 60 % de toutes les maladies chroniques actuelles. Voilà une pilule miracle naturelle qui sauverait des centaines de milliards de dollars de la poche des contribuables ! Nous devons miser davantage sur la prévention véritable au lieu de continuer à augmenter sans cesse le budget dévolu à traiter la maladie. Depuis 25 ans, les ressources financières ne cessent en effet de se multiplier et, peu importe le gouvernement en place, les services en matière de santé laissent toujours à désirer. On ne mise pas sur les vraies solutions car, tout comme dans notre façon de traiter les gens malades, nous traitons les symptômes et non les causes véritables. Qu'est-ce qui ferait en sorte que les gens n'aient pas à se rendre aux urgences ? Que pourrait-on faire pour éviter que les gens soient malades ?

Vieillir dans une société de plus en plus contaminée par des aliments ultra-transformés et un environnement pollué affecte la qualité de vie. Les maladies dégénératives, de plus en plus nombreuses, se manifesteront plus tardivement si nous tenons compte des préceptes de cette science qu'on appelle l'épigénétique. Un mode de vie sain, une nutrition équilibrée incluant certains suppléments de même que des exercices appropriés ajoutent effectivement des années à notre vie et surtout à la qualité de celle-ci.

Le tueur silencieux numéro deux, après les aliments dénaturés, est le stress, qui frappe tant le jeune à l'école primaire que le travailleur et la mère au foyer. Le stress nous pourchasse inlassablement, peu importe notre âge, peu importe l'endroit où nous vivons, car il a appris à se cacher là où personne ne le voit. Il fait partie de la poussière de notre maison cérébrale depuis si longtemps ! Si vous n'en prenez pas conscience à temps, il se révélera au grand jour sous la forme d'une ou même de plusieurs maladies.

On estime que si nous continuons de la sorte, jusqu'à 10 % de la population pourrait souffrir de la maladie d'Alzheimer, et ce, dès l'âge de 60 ans. Il existe en effet des tests de dépistage de cette maladie qui rendent possible la détection d'une incidence accrue d'Alzheimer 15 ans à l'avance. Une fois de plus, la solution ne réside pas dans les médicaments, mais dans un mode de vie sain, une alimentation biologique, des exercices mentaux et physiques, le maintien des relations sociales, la méditation, etc.

Lors d'une édition du Salon du livre de la péninsule acadienne, après que j'eus donné une conférence à l'Université de Moncton, la direction du salon a voulu tenter une nouvelle expérience. On me demanda d'aller parler de la santé et de la douleur repensées (à propos de deux livres parus en 2015 et 2017), dans une maison de personnes âgées. Arrivé sur place, je réalisai qu'il s'agissait d'une maison pour retraités dont la moyenne d'âge était de plus de 90 ans. Certains pensionnaires souffraient de troubles de démence. Je dus changer complètement ma présentation et me mettre au diapason de ce public imprévu. Je leur parlai de ce qui les préoccupait principalement à cet âge avancé, de l'importance de leurs pensées et de devenir plus conscients de ce qui les habite, de ces fausses croyances collectives concernant le vieillissement qui nous fait prendre de l'âge trop vite et nous fait perdre nos capacités. Je pointai du doigt nos programmations malsaines et leur démontrai les bienfaits de la prière, du bénédicité et de la gratitude, cette notion si importante. Nous avons même fait une courte méditation avec musique, cette musique qui meublait leur vie alors qu'ils étaient jeunes. Je voyais leurs visages s'allumer de plus en plus alors qu'ils hochaient de la tête et fredonnaient les airs connus.

À la fin de l'entretien, plusieurs d'entre eux se sont levés, même Armande, cette toute petite dame de 99 ans. Ils sont venus me serrer la main en disant à quel point notre rencontre les avait touchés. J'ai été agréablement surpris par la direction de l'établissement qui avait participé à la soirée en programmant à certains moments une musique classique à bas volume, et à d'autres les chansons préférées des personnes présentes alors qu'elles étaient 50 ans plus jeunes. Cette direction décida même d'intégrer à l'horaire des plages où la musique serait à plus fort volume pour permettre à tous de fredonner en groupe leurs morceaux préférés. Quelle belle initiative, quelle spontanéité que ce passage à l'action pour participer au bien-être de nos aînés ! Ma mère de 93 ans souffre d'Alzheimer et, chaque fois que je vais la rencontrer, j'apporte mon baladeur pour lui faire écouter la musique qu'elle aimait bien lorsqu'elle était plus jeune. La voilà qui se met à chanter et même à turluter, les paroles lui reviennent comme par magie, elle qui a de la peine à me reconnaître. Sa morosité disparaît, ses propos deviennent joyeux et elle se met à se dandiner malgré son petit corps affaibli.

Bref, la prévention pourrait non seulement faire réaliser beaucoup d'économies, mais surtout contribuer à ce que la population plus âgée soit en forme et en bonne santé physique et mentale. Le temps presse devant ces maladies chroniques sans cesse à la hausse, qui créent tant de misère humaine et grugent abusivement nos finances. La médecine préventive n'est plus à ignorer mais à mettre de l'avant. En raison du contact direct qu'ils ont avec leurs patients, les médecins peuvent être de puissants alliés pour y arriver.

VIEILLIR EN BONNE SANTÉ, EST-CE POSSIBLE ?

Le vieillissement, tel qu'on le vit aujourd'hui dans les pays occidentaux, c'est-à-dire souvent maladif, misérable et synonyme de déchéance, n'est pas une fatalité. On m'a raconté que certains moines habitant les plateaux himalayens pourraient vivre plus de 150 ans, et ce, en pleine capacité de leurs moyens physiques et psychiques. Dans la vallée de la longévité (Villa Cabamba) en Équateur, plusieurs personnes dépassent les 130, voire les 140 ans. Dans les Blue Zones, ces régions où l'on vit mieux et plus longtemps (Sardaigne, Icarie, Okinawa, par exemple), les centenaires sont nombreux et très actifs.

Contrairement à ce que nous pensions, le cerveau est un muscle qui peut se régénérer. Le mécanisme d'autorégénération par lequel nous pouvons stimuler et même accroître nos neurones, et ce, de la naissance à la mort, se nomme neuroplasticité. Le manque d'exercices mentaux finit par atrophier les neurones cérébraux. Il est donc important de poursuivre nos activités cérébrales le plus souvent et le plus longtemps possible. Je le répète : la prévention est capitale si l'on désire jouir d'une véritable qualité de vie. Nous pourrions vieillir en santé si nous traitions la cause des maladies plutôt que le symptôme dérangeant. Il est temps que les aînés retrouvent cette force, cette vitalité si importante pour exprimer leur joie de vivre. Il n'est pas vrai que nous finirons tous dans des institutions où la démence guette.

Il faut toutefois accepter que le corps a une horloge biologique naturelle qui détermine son espérance de vie. La mort du corps physique est inévitable ; elle est inscrite dans la génétique, c'est ce que la nature a voulu. Tout organisme vivant a une durée de vie prédéterminée. Eh oui : en dépit de toutes les prouesses technologiques qui existent et qui viendront, l'Homme souffre d'une maladie mortelle impitoyable qui s'appelle LA MORT.

Voici quelques clés qui vous permettront de conserver longtemps votre jeunesse.

1. **Continuez à lire et à apprendre** ; c'est un excellent moyen pour parfaire non seulement vos connaissances, mais aussi pour exercer vos neurones cérébraux. La vie est une école sans fin. Le cerveau est un muscle qui se doit d'être stimulé. Lorsque nous cessons de le faire, tout comme nos muscles s'atrophient lorsque nous ne les utilisons pas, nos cellules cérébrales diminuent en quantité et leurs qualités intercommunicatives s'amoindrissent. Les cellules neurales ne sont pas fixes et se renouvellent par la stimulation et l'apprentissage. Des milliers, voire des centaines de milliers de cellules peuvent apparaître à la suite d'exercices de mémoire, de visualisation ou d'équilibre répétés. Des personnes atteintes de la maladie d'Alzheimer et qu'on avait déclarées invalides pour la conduite automobile ont pu retrouver leurs facultés et leur permis de conduire après stimulation cérébrale. BrainHQ est une application pour exercer le cerveau que j'utilise, un entraînement cérébral qui fonctionne vraiment et qui a été testé par une équipe internationale de neuroscientifiques experts du cerveau. Le sérieux de cette application est reconnu sur le plan scientifique. Les exercices qu'on y propose sont gradués et augmentent les qualités cognitives et auditives.

Ces exercices ont un effet réparateur et stimulant pour votre mémoire, votre concentration, votre rapidité, votre locomotion et même vos rapports avec les gens, car vous saurez faire preuve de plus d'ouverture, d'écoute et de suivi dans les conversations.

2. **Mettez en pratique tout ce que vous avez appris**. Sans l'application, la connaissance sert peu. Mais nous sommes des êtres enlisés dans la procrastination, nous remettons à plus tard ce que nous devons faire maintenant : c'est dans la nature humaine... Il faut pourtant nous secouer les puces ! Certains patients m'écrivent parfois pour me dire combien leur vie a changé pour le mieux. Je leur demande ce qu'ils ont fait. Plusieurs m'ont répondu : « J'ai mis en pratique ce qui est écrit dans ton livre. » C'est tout simple, il n'y a pas de miracle. Que de la pratique.
3. **Optez pour une transformation véritable et... persistez**. Le changement nous déstabilise ; on a alors tendance à tout abandonner. Cette attitude peut nous amener à délaisser constamment une chose pour en adopter une nouvelle. Par exemple, lassé par une diète, on l'abandonne au profit d'une nouvelle. Changer de religion tous les deux ans ne fera pas de nous un être meilleur ! Le but est de nous transformer en profondeur, de nous améliorer, telle la chenille qui quitte le cocon pour se transformer en un bel insecte volant. Elle n'a pas rejeté sa phase chenille, mais s'est convertie et transformée.
4. **Soyez positif**, nourrissez-vous de ce qu'il y a de mieux dans la vie. Des pensées lumineuses augmentent la longueur des télomères cellulaires de l'ADN, qui sont sources de longévité. Il est clairement démontré que plus les branches terminales de nos télomères sont longues, plus les cellules restent jeunes et en santé.

5. **Ayez de la gratitude**, appréciez ce que vous avez, cela permet de trouver ce qui vous entoure encore plus beau, plus important. Et comme par magie, cette gratitude vous procure encore plus de bien-être et de force. Par exemple, ainsi que le démontrent les travaux de monsieur Emoto[15], avoir de la gratitude pour la nourriture que nous préparons ou ingérons permet de libérer davantage de sa qualité nutritionnelle, ce qui favorise notre santé. Nous avons trop tendance à tout prendre pour acquis. Cette négligence risque de nous rendre irrespectueux. Développer de la gratitude pour tout ce qui nous entoure est une clé importante pour une vie heureuse et en santé. Avoir de la gratitude attire la plénitude.
6. **Méditez** ! Je ne saurais trop insister sur l'importance de la méditation. Ce moment que vous vous accordez chaque jour est un signe que vous respectez la personne que vous êtes et même que vous cherchez à explorer. Prenez le temps de vous asseoir tous les jours, que ce soit pour vous détendre, pour lire, pour écouter de la musique, pour réfléchir ou pour vous recueillir. Les techniques sont variées et il vous appartient de choisir ce qui vous convient le mieux, tout en ayant conscience que cela variera avec les années. Ne restez pas accroché à une technique, évoluez, transformez-la.
7. **Diminuez les facteurs stressants** dans votre vie. Le stress n'est pas imaginaire. Il consiste en une quantité de réactions biochimiques qui interviennent au niveau du corps. Partout sur la planète, l'Homme est soumis à des contraintes environnementales où le stress est omniprésent et constitue un

15. Masuru Emoto, *Les messages cachés de l'eau : âme, eau, vibration, leurs fabuleux pouvoirs*, Paris, J'ai lu, 2014 ; *Le miracle de l'eau*, Paris, Guy Trédaniel éditeur, 2015 ; *Le pouvoir guérisseur de l'eau*, Paris, Guy Trédaniel éditeur, 2012.

véritable danger pour sa santé. Le stress est impliqué dans toutes les maladies, de même que dans le vieillissement. Nos vies sont de plus en plus chargées de préoccupations de toutes sortes, souvent inutiles. Nous ployons sous les tâches journalières qui nous préoccupent davantage à mesure que le temps passe. **N'attendez pas que votre verre soit plein ; même s'il ne l'est qu'à moitié, ce qui pèse le plus, c'est de devoir le tenir toute une journée !** Quand vient le temps de nous retirer (ce qui peut ou non correspondre à la retraite du marché du travail), il est souvent trop tard : la maladie nous a rattrapés. Soyez vigilant et regardez où le stress fait irruption dans votre vie.

8. **Équilibrez travail et repos**. Plus votre travail est exigeant, plus vous devriez prendre du temps pour vous. La nature est ainsi faite, les saisons se suivent et se complémentent, tout est cyclique. La nature s'éveille puis s'endort. La nuit succède au jour. Votre sommeil est important. Les données scientifiques nous démontrent que lors du sommeil, les synapses cérébraux se ramonent pour une meilleure mémoire et une longévité accrue. Dormir environ sept à huit heures serait une bonne moyenne pour être en santé. Prendre des vacances permet de se retrouver soi-même ou de retrouver les siens. C'est un moment de rapprochement. Trop souvent, toutefois, je constate la présence du WiFi gratuit dans le forfait vacances : quelle malédiction ! Voilà le jeune couple avec son enfant de sept ans en train de pianoter sur la plage, le père avec son cellulaire et l'enfant avec sa tablette. L'horreur et le malheur de transporter le bureau à la place du château de sable. Les vraies vacances consistent à prendre congé de notre tête, car changer d'endroit fait si peu de différence parfois. Sommes-nous vraiment en vacances dans notre tête ? Nous

avons beau nous trouver sur une île paradisiaque, nous sommes hélas !, là où notre mental se situe.

9. **Poursuivez vos activités physiques**. Le travail permet de garder la forme physique et mentale. La retraite ne signifie pas de s'asseoir et de regarder le temps passer. Faites de l'exercice, créez des liens et des relations. Vous pourriez même vous trouver un autre travail à mi-temps. Et encore mieux, pourquoi pas un peu de bénévolat ? Voilà un bel exemple de service à rendre à autrui où vous créez des relations humaines dans lesquelles vous êtes doublement gagnant. Le cerveau doit être motivé à poursuivre des activités.
10. **Diminuez le sucre, augmentez les bons gras**. Le cerveau adore les bons gras qui aident la mémoire. Les maladies vasculaires sont plus en relation avec l'excès de sucre que l'excès de gras[16, 17].
11. **Diminuez les portions alimentaires**. Un petit jeûne intermittent pourrait même se révéler salutaire.
12. **Recourez à des suppléments vitaminiques** (suppléments d'oméga-3, vitamine D, complexe de vitamines B, vita mine E, antioxydants, etc.). Ceux-ci peuvent pallier le manque lorsque la qualité d'assimilation diminue avec l'âge ou que l'inflammation gagne du terrain.

---

16. S. D. Mark et coll., « Lowered risks of hypertension and cerebrovascular disease after vitamin/mineral supplementation : The Linxian Nutrition Intervention Trial », *American Journal of Epidemiology*, vol. 143, n° 7, 1996, p. 658-664.
17. M. C. Houston, « Nutraceuticals, vitamins, antioxidants, and minerals in the prevention and treatment of hypertension », *Progress in Cardiovascular Diseases*, vol. 47, n° 6, 2005, p. 396-449.

Comme vous le voyez, au-delà des solutions mises de l'avant par des milliardaires et des scientifiques déconnectés du quotidien, la véritable lutte au vieillissement débute avant tout par nous. Il faut nous libérer de nos blocages émotionnels, nous dégager de trop nombreuses responsabilités, nous débarrasser de nos tensions et de nos stress inutiles, bref, retrouver une forme d'équilibre. Une opération de délestage s'impose ! Nous devons retirer ces couches corrompues qui emprisonnent nos douleurs comme si nous pelions un oignon, extirper une à une les afflictions physiques, émotionnelles, mentales qui nous accablent, abandonner nos vieilles croyances défaillantes et spirituelles en vue de regagner notre équilibre et notre santé. Après tout cela, il nous faudra prendre soin de notre corps, partir en vacances, profiter prudemment du soleil, respirer l'air pur, consommer des aliments sains et biologiques, dormir, méditer, faire de l'exercice et des siestes, lire pour le plaisir, et finalement prendre du temps pour nous, pour nos relations et le service rendu à autrui. Et enfin, prendre le temps de nous arrêter pour observer la vie et nous observer nous-mêmes. Présentement, pendant que vous lisez, à quelle hauteur sont vos épaules ? Avez-vous oublié de respirer profondément ?

Nous sommes des êtres importants dans le grand tableau cosmique.

8

Aux portes de la mort

« La mort ne sera plus la grande faucheuse,
mais la grande libératrice. »

12 OCTOBRE 1971, 13 H 30.
J'AI RENDEZ-VOUS AVEC... UN CADAVRE

Revenant de la cafétéria de l'université, quelques étudiants retardataires regagnent nonchalamment leurs places dans cet auditorium nouvellement rénové aux couleurs de blanc et orange brûlé de la faculté de médecine. Sur sa tribune défraîchie, le vieux professeur d'anatomie ferme son cahier en tremblotant légèrement. Il regarde sa classe à travers ses épaisses lunettes, puis lance tout bonnement: « Il est temps d'aller chercher des cadavres. J'ai besoin de quatre volontaires, des hommes qui n'ont pas froid aux yeux, car même morte et déshydratée, la chair n'est pas légère et encore moins agréable à observer. » Comme je suis audacieux, je m'avance vers l'avant de la classe suivi de quelques autres.

Voilà une expérience inusitée que je ne voulais pas manquer. Ces disparus étaient pour moi un mystère depuis des années. Ils étaient conservés dans la grande tour universitaire, un endroit où personne ne pouvait s'aventurer sans un laissez-passer.

Nous sommes quatre, accompagnés du gardien des lieux. Poussant de grandes civières dans les vieux couloirs mal éclairés, nous arrivons à un ascenseur peu fréquenté. À voir son allure, on aurait pu jurer qu'il était hanté ! Ce même ascenseur nous mènera là-haut, dans la tour, puis nous permettra de revenir en bas avec les morts. Mes collègues et moi nous regardons dans le plus grand des silences alors qu'une odeur de formaldéhyde emplit la cage d'ascenseur, laissant deviner le produit dans lequel les cadavres sont préservés. Cette odeur m'est familière, car au collège, il m'était arrivé plusieurs fois de recourir à cet agent de conservation alors que je dirigeais le groupe des jeunes naturalistes. Nous placions plusieurs petites bêtes décédées ou des pièces d'anatomie dans de gros bocaux remplis de ce liquide en prévision de l'étude de la morphologie des corps. Un confrère se bouche le nez tellement l'odeur fétide lui monte aux narines.

Nous voilà à destination. Un déclic se fait entendre et le gardien pousse la porte. Devant nous, une grande salle vétuste et mal éclairée, comme si le temps s'était arrêté pour que la poussière s'y dépose. De grandes cuves rondes mesurant plus de trois mètres de diamètre et un mètre cinquante de hauteur sont réparties sur les grandes tuiles brunes de la salle. Ces grandes cuves métalliques sont fermées solidement et hermétiquement par d'immenses couvercles. Notre accompagnateur nous demande de reculer quelque peu, déclenche le mécanisme d'ouverture et les fait basculer. Les cuvettes maintenant ouvertes, il nous dit : « C'est à votre tour. Choisissez votre partenaire ; ayez soin de prendre celui ou celle qui a tous ses morceaux. » Un cadavre dont tous les membres sont intacts permettra une dissection plus complète.

Retenant notre souffle, nous avançons lentement pour regarder par-dessus le rebord d'une citerne. Là, empilés et entremêlés, des corps gris brunâtre flottent entre deux eaux. La scène est saisissante, tout autant que l'odeur. Les corps sont raidis et leur format semble réduit tellement la graisse a disparu. Ces victimes d'une vie difficile semblent plus que centenaires tant le formol les a asséchées : yeux fermés et concaves, joues évidées, longues jambes et bras rachitiques, cheveux clairsemés, quelques poils pubiens restants, organes génitaux externes ratatinés. Un étudiant ébranlé et vacillant quitte précipitamment la salle à la vue de ces dépouilles à l'enveloppe charnelle flétrie, décolorée et ternie.

Une petite étiquette est attachée au gros orteil de chaque personne, détaillant son âge et quelques renseignements sur son état de santé au moment de son décès. Ces petits billets sont avares d'information, mais tout laisse croire que la plupart sont des itinérants dont le corps n'a pas été réclamé. Le gardien nous enjoint de mettre les gants mis à notre disposition. Avec un confrère, je choisis ensuite le cadavre qui me semble le plus complet et qui nous permettra de retrouver les parties anatomiques dans leur intégrité. Je l'empoigne par les bras alors que mon confrère le saisit par les pieds. Nous le déposons sur un chariot et le recouvrons d'un linceul blanc avant de retourner à la salle d'anatomie. Ce sera sa nouvelle demeure pour les trois prochains mois. Pendant ce temps, il sera mon hôte et compagnon qui me fera découvrir les secrets du corps humain. De la tête jusqu'aux orteils, je pourrai visualiser ses différents nerfs, veines et artères, tout autant que ses organes internes et son cerveau, lorsque la calotte crânienne aura été retirée. Si sa vie s'est terminée dans la misère, à partir de maintenant, il me permettra de découvrir les mystères du corps humain. Peut-être n'y va-t-il pas du hasard dans cette rencontre. Cet être inanimé me fera participer éventuellement à la vie et au mieux-être d'autrui. Sur ma table de dissection, je le salue et le remercie de participer à ce que je devienne un meilleur médecin.

Cette rencontre choc a soulevé de nombreuses questions chez moi. Qu'est-ce que ce cadavre va m'apporter au cours des trois prochains mois où il sera mon partenaire de travail ? Un peu plus de connaissances sur l'anatomie humaine, certainement, mais davantage de questionnements sur la vie, la mort et l'être humain. Mais qui est véritablement l'être humain ? Qui suis-je et que suis-je ? Un simple corps qui sera un jour cadavre à son tour, assurément... Le corps humain n'est-il qu'une coquille vide une fois la dernière heure venue ? Dans nos sociétés modernes, il est facile de glisser sur la pente savonneuse de la matérialité et d'éviter les questions ambiguës de la fin de vie. Mais il n'en a pas toujours été ainsi et, au fil des siècles, ces questions ont trouvé différentes réponses...

DIFFÉRENTES CONCEPTIONS DE LA MORT

Une constante demeure : tout au long de son histoire, l'Homme a fait intervenir la religion au moment ultime. Peut-on imaginer un seul instant une mort sans rituel final, que celui-ci soit laïque ou religieux ? Peut-on imaginer un monde sans après-vie ? Un prêtre, un chaman, un moine, bref un représentant de la religion ou du culte concerné, quel qu'il soit, intervient immanquablement afin de préparer le mourant à sa nouvelle vie. Peu importe la religion, ce dernier devrait en effet être accompagné lors de son passage dans l'au-delà. Et cette après-vie, n'est-il pas troublant de constater qu'elle ressemble parfois étrangement à celle qu'on connaît ? Peut-être y a-t-il beaucoup d'imagination et d'anthropomorphisme dans tous les détails qu'on fournit, peut-être nous fait-on miroiter un monde que l'on connaît déjà pour nous rassurer... Quoi qu'il en soit, personne n'est jamais revenu du royaume des morts pour nous détromper.

Chez les Égyptiens, la mort était vénérée et donnait accès à une nouvelle vie ; on croyait en l'immortalité. Le processus de momification témoigne de l'importance de garder l'être le plus intact possible afin que, de l'autre côté, l'âme puisse réintégrer le corps. Les Égyptiens reconnaissaient l'après-vie comme la véritable destinée de l'Homme. Pour eux, la mort permettait à chacun de retrouver sa véritable identité. C'est à travers la mort que l'on pouvait se réaliser pleinement et devenir, un participant à l'ordre cosmique. Mais avant d'arriver à cet état, il fallait s'assurer que le défunt avait été vertueux et qu'il avait accompli sur Terre des actes bénéfiques et méritoires. La mort devenait donc un changement de niveau d'existence. Du plan physique, l'esprit ou la conscience passait au plan invisible, qui est le véritable royaume de l'Homme céleste.

Les bouddhistes tibétains, pour leur part, accomplissent un long rituel de passage que l'on trouve dans le livre des morts tibétains, le *Bardo Thödol*. Rédigé par Padmasambhava, maître indien ayant vécu au VIIIe siècle et qui est perçu comme une forme de Bouddha ésotérique, ce livre découvert au XIVe siècle est un véritable trésor spirituel. Le rituel qui y est décrit met plusieurs jours à être exécuté. Il parle du voyage qu'effectue l'âme après la mort. L'Homme doit, au cours de ses multiples expériences et existences terrestres (le samsara), atteindre le nirvana, c'est-à-dire la libération et l'unité en toutes choses. Pour le bouddhisme, ce passage de l'âme après la mort est l'occasion pour le défunt de revenir sur sa condition actuelle et de prendre connaissance des conditions qui prévaudront dans sa prochaine incarnation. Un nouveau corps humain servira à l'âme qui devra se réincarner. Celle-ci revoit au cours du processus de la mort les actions à accomplir pour une vie meilleure qui lui permettront d'atteindre un jour l'éveil, alors que le karma aura été neutralisé. Un éveil non seulement pour lui, mais aussi pour tous les êtres de la planète. La vie est une école pour tous ceux qui poursuivent sans relâche la quête d'un monde meilleur.

Il est intéressant de noter que tant Tenzin Gyatso, mieux connu comme le dalaï-lama actuel, que Sogyal Rinpoché, auteur du *Livre tibétain de la vie et de la mort*, avaient des propos légers, joyeux et même rieurs même s'ils parlaient souvent de la mort. D'ailleurs, au Tibet, les jeunes moines sont éduqués très tôt sur ces sujets, alors même qu'ils n'ont que 10 ans. La mort est totalement naturelle. Elle ne doit plus être occultée comme on le fait trop souvent en Amérique et en Europe.

Dans son livre *Le pouvoir spirituel de l'eau*, Masuro Emoto compare le cheminement de l'Homme à celui de la pluie qui provient d'en haut, qui tombe du ciel. Parvenue sur terre, elle entreprend un long voyage qui la transforme, puis remonte sous forme de vapeur et de nuage afin d'entreprendre une nouvelle descente vers la Terre, où elle se dépose sur un continent et acquiert une nouvelle expérience de la vie terrestre. Tout comme l'eau, nous pourrions revenir et revivre un nombre incalculable de fois, nous dit-il. Un poème de Goethe évoque la même idée : « L'âme de l'homme ressemble à l'eau : venue du ciel, vers le ciel, elle s'élève, et encore une fois sur terre elle descend, toujours changeante. »

FAUT-IL AVOIR PEUR DE MOURIR ?

Depuis des décennies, au Québec du moins, la mort ne fait plus partie « de la famille ». Par peur ou simplement pour éviter d'y être confrontés, nous l'avons reléguée aux institutions spécialisées et aux hôpitaux. Dans ces circonstances, il est tout à fait normal que l'on ne sache plus quoi faire dans ces moments difficiles. Nous avons oublié comment la vie se termine…

Dans le bureau du médecin, au moment de l'annonce d'une mort prochaine, un malaise règne de part et d'autre, un non-dit. Ni le patient ni le médecin ne veulent aborder la fatidique mais inévitable question. Parler de la mort, pour plusieurs, c'est avoir déjà un pied dans la tombe. Nous voulons prolonger la vie à tout prix et remettre la mort à plus tard. Elle est malvenue ! Pourtant, quand nous souffrons, nous appelons cette grande libératrice de nos vœux. Nous n'en sommes pas à une contradiction près…

Devant la mort, la population en général ressent de l'appréhension, de l'anxiété, de la frayeur, de la peur, de l'angoisse, de l'affolement, de la panique et même de la terreur. Les films, les téléséries et les romans regorgent de scènes effroyables où la grande faucheuse vient chercher son dû. Notre passé religieux repose lui aussi trop souvent sur la peur, notamment celle de l'enfer ou du purgatoire pour mauvaise conduite, **comme si la force universelle pouvait juger mauvaise sa propre création**. Nous sommes humains et, à ce titre, fabriquons nos propres règles et consignes sans qu'elles reposent sur des fondements solides. Ces règles sont ensuite la source d'une culpabilité dont nous avons de grandes difficultés à nous départir.

Bref, la peur de tout quitter nous hante et nous demeurons attachés à notre vie terrestre. Dans l'ignorance de ce qui nous attend, difficile de faire autrement. Cette peur se manifeste de façon encore plus vive chez les personnes âgées. Un pas de plus et c'est... quoi, le néant ? L'anéantissement ? Ou peut-être une autre vie, mais laquelle ? Un nouveau monde dans l'au-delà ? Mais ce nouveau monde, quel est-il ? Contrairement à l'animal, qui ne peut prendre conscience de sa mort, puisqu'il n'a pas de « je », pas d'individualité, les êtres humains ont conscience que la mort approche et qu'il leur faudra bientôt abandonner leur corps. Ah, revenir à l'animal en soi ! Être unifié avec la nature et s'abandonner à son instinct, qui dicte simplement ce qu'il faut faire...

Il est temps de cesser de voir la mort comme la grande faucheuse et de la craindre. Nous avons beaucoup à apprendre sur elle et plus nous le ferons, plus nous serons à même de réaliser la grandeur de la vie. Autant s'incarner est une expérience enrichissante, autant s'en libérer peut être une joie. Ça peut sembler difficile à concevoir, mais tous ceux qui ont vécu l'expérience l'affirment avec conviction.

DES EXPÉRIENCES TROUBLANTES

D'après le *Wall Street Journal*, le premier prix de la meilleure citation de 2011 revient à Steve Jobs : « Oh wow. Oh wow. Oh wow » furent ses derniers mots, dit-on. C'est la sœur de Jobs, Mona Simpson, qui a décrit la scène lors de son éloge funèbre[18],

---

18. Mona Simpson, « A sister's eulogy for Steve Jobs », *The New York Times*, 30 octobre 2011. En ligne : www.nytimes.com/2011/10/30/opinion/mona-simpsons-eulogy-for-steve-jobs.html.

quelques jours après le décès du célèbre cofondateur d'Apple. Quand, peu avant la fin, elle se présenta au chevet du mourant, Jobs était entouré de sa famille. Il avait l'air de quelqu'un sur le point de rendre l'âme. Après avoir regardé Patty, une autre de ses sœurs, puis ses enfants et sa compagne, son regard se fixa sur quelque chose derrière eux. C'est alors qu'il prononça ces mots, qui furent ses derniers : « Oh wow. Oh wow. Oh wow. »

Steve Jobs, qui n'avait rien de mystique, avait vu quelque chose que les gens autour de son lit n'avaient pas vu. Non seulement avait-il vu quelque chose, mais cette chose semblait d'une grande beauté. Ce créateur, ce grand inventeur venait d'avoir une vision, la toute dernière, et il n'avait pu se retenir de manifester son émerveillement. Mais quelle était cette beauté qui pouvait le stupéfier à ce point ? Nous ne le saurons jamais. Ou peut-être bien un jour. Le dernier.

Cette vision de Jobs m'a fait penser à un épisode tout personnel. Il y a quelques années, ma mère a eu des ennuis de santé. Elle souffrait d'angine cardiaque et le test de coronarographie laissait entrevoir plusieurs artères bloquées. La pose de stents, ces petits implants avec ballonnets que l'on installe sur les artères pour permettre une vascularisation adéquate, était nécessaire. Elle a donc subi cette intervention chirurgicale un soir. À mon arrivée à son chevet le lendemain matin, elle me sourit et me remercia d'être venu la veille. J'étais un peu perplexe et je lui ai dit, tout bonnement, que j'étais plutôt rentré tard à la maison en raison du travail et que je n'étais pas passé la voir hier soir. En me serrant la main, elle me remercia néanmoins pour ma présence pendant l'opération ! Je ne comprenais pas, puisque j'étais à la maison. « Grâce à toi et au personnel, tout a bien été. » Elle ajouta : « L'opération allait bien au départ, puis lorsque les stents furent posés, mon cœur s'est arrêté et ne voulait plus repartir. Malgré les médicaments, mon cœur restait sans vie. Puis je t'ai vu, tu étais avec les autres médecins et vous parliez ensemble. Vous sembliez préoccupés par mon arrêt cardiaque. Mon cœur s'est finalement remis à battre. Je te remercie d'avoir été là. » Confus et hésitant, je lui dis que j'étais heureux qu'elle soit maintenant en bonne forme, puis j'allai au poste pour demander comment s'était déroulée l'opération. L'infirmière me dit qu'elle voulait justement m'en parler. L'opération avait été difficile, car le cœur de ma mère ne voulait plus se remettre à battre. Finalement, tout était heureusement rentré dans l'ordre et ma mère n'était pas au courant de ces complications. À la suite des propos de l'infirmière, j'étais rassuré, mais encore plus surpris. Il est difficile de rationaliser dans ces moments. Les médicaments ont-ils un rôle à jouer dans les interprétations du patient comateux ? Ou le patient peut-il avoir eu conscience de ces moments que nous qualifions d'inconscients ? Que se passe-t-il véritablement de l'autre côté de la porte ?

Je me souviens de mon beau-père sur son lit d'hôpital, la journée de son décès. Je voyais son regard scruter le plafond avec inquiétude. Je lui demandai ce qui le tracassait. Il me répondit : « Ce sont eux. » Je lui demandai : « Qui sont-ils ? » « Ce sont ces hommes en blanc qui viennent de nouveau me regarder. Je ne sais pas ce qu'ils me veulent. » Je lui demandai s'ils avaient l'air menaçant. Il me répondit que non, qu'ils avaient un air plutôt tranquille et le regardaient avec bonté. Je lui dis : « Ce sont peut-être des êtres de lumière qui viennent te rencontrer. Tu sembles important car tu les as attirés ou même peut-être sont-ils des anges ? » Il me regarde lentement avec un sourire qui semble dire : crois-tu vraiment aux anges ? Mon beau-père était du style à croire en une vie dans l'au-delà. « Je crois que ces êtres que tu vois sont venus pour t'aider et t'accompagner. Ce sont des êtres de lumière qui t'ouvrent la porte vers un nouveau chemin. Tu peux leur faire confiance. » À la dernière heure, alors qu'il respirait difficilement et que son état de conscience allait et revenait, mon beau-père me dit de nouveau : « Ils viennent d'arriver. » Dans les minutes qui suivirent, il nous quitta pour de bon. Du moins, une part de lui s'en alla… Avec eux ? Qui sait.

Il arrive fréquemment que des mourants décrivent des phénomènes laissant croire qu'ils voient véritablement des choses que nous, êtres rationnels et cartésiens, ne voyons pas. Dans le cas de mon beau-père, il n'a pas eu d'hallucinations causées par sa maladie ou par les médicaments qu'il prenait. Il y a une nette différence entre les hallucinations médicamenteuses et les expériences de fin de vie authentiques. Les premières sont des images bizarres, incongrues et parfois effrayantes. Les couleurs ondulent et les murs se transforment ou, pire, des monstres ou des insectes apparaissent, ce qui est contraire aux expériences généralement observées en fin de vie. Celles-ci sont apaisantes et réconfortent la personne. Elles facilitent le détachement de la vie matérielle et diminuent la peur de la mort. Il faut respecter ces visions et ne pas les juger, mais tenter de comprendre et de réconforter la personne qui les vit.

Je ne parle pas aux morts, ni n'entre en contact avec eux. Mais je ne peux m'empêcher de trouver fascinante et attachante l'histoire qui suit, que j'ai brièvement relatée dans *La santé repensée*. Mélanie présentait une dépression sévère depuis plus d'un an et la médication demeurait sans effet dans son cas. Je lui demandai ce qui s'était passé au cours des deux dernières années. Selon elle, peu de choses. Il y avait bien eu le décès de son père, moins de deux ans auparavant, mais c'était peu important selon elle, car elle avait décidé d'écarter cet homme de son chemin. « C'était un grand alcoolique irresponsable et je ne crois pas qu'il vaille la peine de parler de lui maintenant. »

J'insistai pourtant. Elle finit par décrire calmement le genre de personne qu'était cet homme que je n'ai jamais rencontré. Elle le présenta comme quelqu'un de discipliné (trop) et très apprécié dans son milieu de travail. Il occupait un poste de haute direction, mais malheureusement, l'alcool avait fini par le détruire. « Et il nous a détruites, surtout ma mère et moi. Elle a toujours été trop bonne pour lui, elle l'a toujours protégé et moi je devais aussi le protéger à ma façon. Ma mère me demandait d'aller le chercher à la taverne du coin, en revenant de l'école. Tous les soirs, je faisais le sale boulot d'aller dire à mon père qu'il était temps de rentrer à la maison. »

Je sentis la colère envahir Mélanie. Je lui demandai si son père avait toujours été bon pour elle. Elle me dit que oui et elle fondit en larmes. « C'était un alcoolique mais aussi un grand sensible et il a toujours été bon pour nous tous. Nous n'avons jamais manqué de rien. Nous aurions aimé le voir plus souvent sobre. Il avait un caractère fort et discipliné et on raconte que je lui ressemble sur certains plans. Il est décédé et je ne suis pas allée le voir à l'hôpital, ni lors de l'enterrement. » Mélanie poursuivit malgré les larmes qui coulaient sur son visage. « Et ce qui m'attriste le plus, avoua-t-elle avec des sanglots dans la voix, c'est que je n'ai pas pris le temps d'aller lui dire au revoir à la fin de sa vie et surtout, combien je l'aimais... » Après quelques instants, elle reprit son souffle et me dit : « C'est maintenant trop tard. Il nous a quittés et moi je n'ai rien fait. »

Mélanie prit graduellement conscience que sa fatigue et sa dépression avaient commencé quelques mois après le décès de son père. Il était maintenant évident que ce qu'elle vivait depuis plus de dix mois était lié à sa relation avec son père, qu'elle percevait comme inachevée. Je lui proposai une technique de visualisation créatrice que nous employons parfois en médecine et en psychologie. La visualisation créatrice n'a rien du charlatanisme ou de la pensée magique. C'est une ressource au fond de chacun de nous qui nous aide à obtenir des résultats concrets. J'expliquai à Mélanie qu'elle aurait probablement de meilleurs résultats si elle pouvait voir la situation clairement et parler avec son père avec son cœur d'enfant, en acceptant de mettre de côté un passé difficile qui n'avait plus sa place.

« Tu pourrais imaginer ton père alors que tu lui parles, que tu lui demandes pardon et que tu lui dis combien tu l'aimes. Visualise sa présence avec intensité comme si tu t'adressais vraiment à lui, comme si c'était réel. Qui sait, peut-être pourra-t-il t'entendre. » J'ajoutai : « Je te propose toutefois quelque chose de spécial, d'inhabituel. Fais cet exercice d'imagerie mentale dans la taverne où tu allais chercher ton père, si elle existe toujours. Et, en parallèle, prends soin de poursuivre ta médication. » J'avais entendu dire que les alcooliques sont souvent aux prises avec une très grande sensibilité (s'accompagnant peut-être d'un sentiment de culpabilité) et que, au moment du départ, ils s'accrochent à leur présence ici-bas. Se présenter à la taverne ne pourrait que favoriser les résultats de la démarche de Mélanie. Celle-ci était un peu perplexe quant à la réussite d'une telle entreprise mais elle me dit qu'elle ferait tout en son pouvoir pour faire la paix avec son père.

Mélanie revint me voir trois semaines plus tard. Elle avait changé ; je retrouvai la femme dynamique, épanouie et souriante que je connaissais. Elle déclara qu'elle avait même diminué sa médication, avec l'accord du médecin qui la lui avait prescrite. Elle prévoyait même la cesser complètement au cours des semaines suivantes. Que s'était-il passé, pourquoi cette transformation subite ?

Elle me raconta qu'aussitôt sortie de mon bureau, trois semaines auparavant, elle s'était dirigée vers la fameuse taverne où son père passait ses fins de journée. Quand elle y était entrée, elle avait eu un choc : tout était comme il y a 20 ans. Les mêmes meubles, la même disposition… Elle était allée s'asseoir à la table où son père avait coutume de le faire. Elle décida même de prendre un verre de bière en son honneur et lui parla (intérieurement, bien sûr). Elle lui demanda pardon et lui témoigna son amour. Puis, après une quinzaine de minutes, elle quitta la taverne. Même si rien ne s'était réellement passé, elle était néanmoins satisfaite de l'expérience. Elle se promit même de revenir saluer son père, au besoin…

Le soir, Mélanie alla se coucher comme d'habitude, oubliant ce qu'elle avait fait durant la journée. Pendant la nuit, elle sentit qu'une main frôlait son épaule et son visage. Cette sensation s'accompagna de l'odeur d'un parfum qu'elle avait souvent respiré lorsqu'elle était adolescente et que son père lui témoignait de l'affection. Mais surtout, elle entendit une voix lui chuchoter : « Je t'aime. » Cette caresse et cette voix l'avaient comblée de joie. Elle ne vit personne mais elle avait la conviction que c'était son père qui était venu la visiter et lui assurer son amour. Peut-être avait-il expurgé, avec cette caresse, la dépression de Mélanie, comme un dernier cadeau qu'il avait souhaité lui offrir.

L'expérience vécue par Mélanie, qui l'avait profondément transformée, nous porte à réfléchir. Est-il plausible que son père décédé soit revenu lui témoigner son amour ? La mort peut-elle vraiment séparer pour toujours deux êtres qui s'aiment ? Peut-on prouver que cet épisode n'a pas eu lieu ? Faut-il évacuer tous les phénomènes de médiumnité ? L'autre monde existe-t-il ? La mort n'est-elle pas tout près de nous, ne fait-elle pas partie inhérente de nos vies ? Ne devrions-nous pas unifier ces deux concepts de vie et de mort ?

Vie et mort sont indissociables, selon moi. La Vie, dans sa globalité, ne meurt pas. Tout au long de ma pratique, j'ai rencontré plusieurs personnes qui me disaient avoir des perceptions extrasensorielles. Je ne pouvais prouver avec ma science que ce qui m'était raconté existait, ni que cela n'existait pas, mais je devais convenir que ces expériences avaient été réellement vécues et que les résultats étaient manifestes.

Pour certains (occultistes, bouddhistes, Société théosophique, etc.), le plan astral est celui des émotions et des sentiments. C'est un plan très éthéré, non matériel et donc non visible où se dirigent les âmes après avoir franchi le tunnel lumineux que plusieurs ont raconté avoir vu. On y rencontre, paraît-il, des entités dématérialisées et spirituelles qui peuvent nous guider ultérieurement selon la vie que nous avons vécue. Ce plan est également celui des rêves. Il est dit que la conscience de l'individu endormi voyage dans le monde astral, le monde des morts et du rêve.

Qu'en est-il réellement ? Je ne saurais le dire. Quoi qu'il en soit, force est de constater que l'expérience vécue par Mélanie l'a réconfortée et que sa vie s'en est trouvée améliorée. N'est-ce pas l'important ?

9

L'art de mourir

« La maladie et la mort ne sont que
des conditions liées à la forme de l'Homme
et non à sa substance même. »

Après des années d'études, me voilà donc médecin, plein de connaissances et fin prêt pour le service. Une nuit, l'unité d'urgence où je travaille déborde malgré l'heure tardive. J'ai quatre patients en attente. Voilà qu'une voix perçante écorche le silence de ma petite salle d'observation pendant que je questionne une jeune femme qui souffre de douleurs abdominales. La centrale m'avertit qu'un traumatisé en arrêt cardiaque est en route. J'entends au loin les sirènes stridentes de l'ambulance qui approche. Silence pendant quelques secondes. Brusquement, les portes de l'urgence s'ouvrent avec fracas. Presque aussitôt, la civière poussée par l'ambulancier à la course arrive dans la salle de réanimation.

J'inspecte rapidement l'homme sur la civière, âgé d'une quarantaine d'années : aucun signe vital, pas de pouls, pas de respiration. Rapidement, je scanne du regard le corps inanimé. Parvenu aux membres inférieurs, mon regard s'attarde sur des amas de particules grises formant un tracé linéaire sur le pantalon de l'homme. Je constate que ce sont des morceaux de matière grise. Mes yeux remontent rapidement au niveau de la tête et je constate que l'arrière de celle-ci est profondément enfoncé. Une plaie béante laisse entrevoir le cerveau. L'infirmier me dit que l'homme travaillait à l'entretien d'un ascenseur lorsqu'il est tombé du cinquième étage tout au fond du puits. Il n'y a rien que je puisse faire, aucune manœuvre de réanimation n'est possible. Avec tristesse, je signe le constat de décès.

En tant que médecin d'urgence, ma mission est de sauver des vies et c'est ce que j'ai tenté de faire tout au long de mon parcours médical. À mes débuts, on m'a enseigné à préserver la vie jusqu'à la toute fin. Il est 20 heures, un samedi soir. Je reçois un homme de 84 ans respirant péniblement, mais tout à fait calme. Il a les yeux fermés. Je tente de lui parler, mais il ne répond pas. Tout au plus me regarde-t-il un court instant avant de refermer les yeux. Son rythme cardiaque est faible et lointain, sa tension artérielle basse et ses poumons présentent une congestion manifeste. Il m'entend car, de temps en temps, il ouvre les yeux puis repart dans son monde. Il ne semble pas souffrir, mais à voir sa respiration, je suis persuadé que ses heures sont comptées.

L'une de ses filles l'accompagne et me dit que son père est ainsi depuis quelques heures déjà. Elle est calme et je ressens qu'elle éprouve beaucoup de tendresse pour son père. Elle me dit que ses frères et sœurs vont arriver dans la prochaine heure. Sa sœur arrive sur les entrefaites. Elles ont eu le courage et l'amour de prendre soin du vieil homme à la maison à tour de rôle jusqu'au dernier moment. Je consulte le dossier médical du père, qui me confirme ce que m'a dit sa fille, à savoir qu'il souffre d'un cancer en phase terminale. Ma première impression était bonne : l'homme va mourir au cours des prochaines heures. La bonne nouvelle est que ce bon vieux père est déjà dans la paix. Sa respiration est calme et il n'y a aucun signe de douleur apparente sur son visage et dans ses gestes.

Un peu en retrait, je parle aux deux sœurs pour leur signifier que le temps est arrivé pour leur père de quitter notre monde. Elles semblent tout à fait conscientes de la situation et acceptent son départ dans la sérénité. Je leur trouve une salle attenante, fermée et très calme, où la parenté pourra se recueillir en sa présence, ce qui n'est pas toujours facile dans une salle d'urgence. Heureusement, une chambre libre et de surcroît fermée semble les attendre...

DES CONDITIONS POUR UN DÉPART EN DOUCEUR

Certaines conditions rendent la mort plus facile et plus acceptable à la personne qui s'apprête à rendre le dernier soupir. Lorsque les jours sont comptés, il est préférable que la personne en fin de vie quitte l'hôpital pour chercher refuge dans une unité de soins palliatifs. Ces unités sont de mieux en mieux adaptées aux réalités des mourants et permettent à la famille d'être plus présente et d'intervenir davantage. Le personnel spécialisé peut avantageusement soutenir le patient, répondre à ses besoins particuliers jusque dans les menus détails et lui offrir du réconfort.

Si par moments la personne mourante ouvre les yeux, soyez à ses côtés et regardez-la avec un doux sourire tout en lui prenant la main. Si elle vient à parler, accueillez sans réserve ses paroles, quelles qu'elles soient, et acceptez ses craintes en la rassurant. Il faut éviter qu'elle vive de l'isolement ou de l'inquiétude. Ne craignez pas les discussions franches et ouvertes sur la mort. Dites ce que vous savez ou pensez de l'après-vie de manière à l'apaiser et à lui donner espoir. Soyez attentif à son état; si elle semble fatiguée, invitez-la à se détendre et évitez de trop longues conversations. Peut-être voudra-t-elle se rappeler ce qu'elle a accompli et aimé; soyez à l'écoute. La patience est de mise car ses propos peuvent parfois être difficiles à comprendre et le fil de ses idées décousu. Il ne vous sera peut-être pas facile de lui prodiguer cette présence chaleureuse, cette stabilité émotionnelle. Essayez toutefois d'être l'épaule sur laquelle elle peut s'appuyer.

Dans la mesure du possible, évitez les pleurs. Le mourant a déjà beaucoup à faire pour se projeter dans l'inconnu, vos pleurs ne feront que le désoler et le dérouter. Ils plomberont totalement l'ambiance de la chambre et le moral du mourant. Pensez avant tout à la personne qui se prépare à partir; elle a besoin de toutes ses forces pour s'abandonner.

Si des membres de la famille présents dans la chambre ont des opinions discordantes sur le déroulement de la situation, invitez-les à discuter dans un autre endroit. Choisissez les visiteurs qui sauront lui apporter un soutien véritable dans ces moments délicats. Il faut parfois limiter le nombre de visiteurs ou la durée des visites car son corps physique se fatigue vite, ce qui limite l'intériorisation. Il faut éviter de troubler la personne en fin de vie avec ce que nous appelons les « ambulanciers de l'âme », ces gens qui veulent imposer leurs notions de la mort et de l'après-mort. Le temps n'est plus à la conversion et ces personnes, souvent sans expertise, risquent malheureusement de bouleverser la quiétude du mourant. La personne en fin de vie est une proie facile, d'autant plus si elle est seule à affronter une mort imminente. Ces abus spirituels sont interprétés, à juste titre, comme de la théologie toxique selon les termes appropriés utilisés par la journaliste Marie-Claude Malboeuf[19].

La personne en fin de vie a besoin de tranquillité et la musique douce est tout indiquée. La musique de recueillement occupe une place significative dans nos rapports avec la mort imminente. Elle est une source d'intériorisation et permet d'apaiser les pensées discordantes. Elle remplit une fonction rituelle incontestable, que ce soit dans les derniers moments ou après le décès. Les traditions religieuses en regorgent mais vous pouvez aussi vous tourner vers la musique classique :

---

19. Marie-Claude Malboeuf, « "Dieu guérira ton cancer" », *La Presse*, 17 août 2019. En ligne : www.lapresse.ca/actualites/sante/201908/16/01-5237679--dieu-guerira-ton-cancer-.php.

Mozart, Berlioz, Verdi, Fauré, etc. Les musiques de détente et de méditation de style New Age invitent aussi à la profondeur méditative ou au retour sur la condition humaine. Quand les mots manquent, la musique remplit les longs silences et élève la conscience. Vous pouvez aussi laisser au chevet du mourant des poèmes, des invocations et des prières que les visiteurs pourront lire à son attention.

La lumière fait partie de notre mort tout comme elle fait partie de notre vie. Il est important que le mourant soit éclairé par une lumière douce et tamisée lors des derniers moments. Parfois, celui-ci croira voir dans la pièce des lumières qui le fascineront. Évitez de le contredire. Plusieurs personnes ayant vécu une expérience de mort imminente disent avoir vu un tunnel avec une lumière au bout ; nous y reviendrons plus loin.

Utilisez toujours un toucher doux et la main, de préférence, pour établir le contact. Les caresses réconfortent et favorisent la communication. Parfois, un simple toucher délicat des mains ou des pieds produit un effet calmant. Un massage délicat avec de l'huile de rose ou de lavande pourrait procurer un certain bien-être.

Si le lieu le permet, une bougie odorante ferait bon office. La couleur orangée serait un bon choix car elle facilite la concentration. L'addition de fragrance ou d'encens de bois de santal est recommandée en raison de la respiration parfois pénible et des odeurs que le mourant peut dégager. L'ajout de pierres pourra imprégner l'atmosphère de douceur et de calme.

On peut penser à une belle boule de quartz rose, une pierre de calcite orange, un quartz clair, ou la citrine, dont la couleur chaude pourra réchauffer l'esprit et procurer une joie tranquille.

N'oubliez pas que l'atmosphère est importante lors de ces derniers instants. Sachez créer une ambiance qui favorisera le détachement et l'élévation de l'âme. Cette atmosphère éthérique enveloppera la personne en fin de vie, lui insufflant sérénité et courage, et constituera un tremplin pour l'âme.

En raison de l'attachement que nous avons pour elle, nous célébrons souvent dans la tristesse le départ de la personne que nous ne reverrons plus. Cette tristesse est normale et tout à fait humaine, mais nous ne devrions pas pleurer pour autant. Au contraire ! Tout comme nous fêtons l'arrivée d'un être dans le plan physique, nous devrions aussi fêter sa mort dans ce même plan. Naître est douloureux. La naissance débute par les pleurs, essentiels à la survie du nouveau-né qui pénètre dans un monde froid, ayant dû renoncer à la chaleur utérine où tout lui était prodigué sans effort. La mort n'est-elle pas plus aisée ? Elle se termine par un dernier soupir facile à laisser aller, un dernier aaah ! de soulagement de laisser ce vieux corps comparable à un manteau trop usé. Quelle joie d'en endosser un tout neuf, sentant le frais, lorsque l'âme reviendra sur Terre ! Toute naissance prépare une mort et toute mort annonce une nouvelle naissance !

LA SÉDATION TERMINALE

Il ne faut pas confondre sédation et euthanasie. L'euthanasie a pour objectif de mettre fin à la vie d'une personne souffrante dans les heures qui suivent, alors que la sédation cherche à soulager avant tout. Souvent, il se passera des jours avant que la personne ne décède.

Les derniers moments ne devraient pas être une source de souffrance indue pour le mourant et pour ses proches. Voilà pourquoi la sédation terminale est de mise. Le soulagement, l'apaisement des douleurs et des angoisses face à la mort aura toujours une place prépondérante dans une telle approche, qui donne l'occasion au mourant et à tous ceux présents de rester en communion étroite même si la conscience du mourant semble faire défaut à nos yeux. Je dis bien « à nos yeux » car la conscience opère à un autre niveau que le niveau analytique et de synthèse. Il a d'ailleurs été démontré que les gens sous anesthésie profonde entendent et gardent parfois un souvenir de tout le processus chirurgical, des paroles énoncées par le personnel opérant et de l'organisation physique de la salle. Quelques-uns ont même voyagé avec la conscience et pouvaient décrire avec exactitude des salles qui étaient fermées au public !

Certains comateux, qui semblent incapables de communiquer, sont beaucoup plus conscients que nous le croyons. Mais peut-être est-ce nous qui sommes incapables de les comprendre ? Leur conscience n'est pas perturbée par la médication opiacée de la sédation terminale, si puissante soit-elle.

Même si le cerveau et ses neurones sont ankylosés ou paralysés par la morphine, la conscience, ultimement, ne l'est pas. Le cerveau analytique n'est plus de la partie, c'est un fait, mais la partie supérieure de la conscience, non localisée, non analytique, non formelle, demeure active. Tout ce qui se passe et tout ce qui se dit dans la chambre du mourant sont automatiquement perçus par sa conscience non localisée. Agissons en conséquence. Nous reviendrons sur le concept de la conscience au chapitre 10.

COUPER LE CORDON

Je me souviens de ma belle-mère de 93 ans. Ses jours étaient comptés ; elle était découragée d'être encore sur Terre avec ce corps qui la faisait continuellement souffrir. Son état mental variait. Par moments, elle faisait des voyages fantastiques à travers le monde qu'elle pouvait nous raconter en détail. Parfois, elle nous disait en souriant revenir de faire du ski ou de danser sur le pont d'un bateau de croisière. Puis, l'instant d'après, elle retombait dans sa misère et ses lamentations.

Nous avons discuté avec elle, lui indiquant qu'il était temps pour elle de partir vers un monde meilleur. Elle disait oui, mais elle était toujours là, jour après jour, incapable de nous quitter. Un après-midi, je lui demandai pourquoi. Elle figea et, très sérieuse, me répondit avec tristesse : « Je ne peux quitter ma fille, ma seule fille, que va-t-elle faire si je pars ? » C'est dire à quel point les mères, même à 93 ans, ne peuvent se résoudre à cesser de jouer leur rôle de maman. Voilà la raison de son attachement, de sa résistance à nous quitter ! En tant que mère, elle voulait encore s'occuper de sa fille, alors que c'était sa fille qui s'occupait d'elle depuis un bon moment. Ma femme a eu une discussion avec elle pour la rassurer et l'encourager à se laisser aller. Dans les jours qui suivirent, l'état physique de ma belle-mère se détériora et elle nous quitta doucement une nuit venue.

Pour relâcher le dernier souffle avec facilité et soulagement, il faut avoir accepté de nous détacher du monde matériel, des proches et de nos biens, car nous n'emporterons rien de concret de l'autre côté. Nous tardons trop souvent à quitter ce monde en raison de cet attachement et, par le fait même, nous nous enlisons davantage dans la douleur. Douleur pour soi et douleur pour les autres parfois, qui préféreraient que l'on souffre moins et moins longtemps.

Le dernier souffle doit être libérateur. Cette délivrance finale devrait être acceptée du plus profond de soi et non repoussée jusqu'au dernier souffle. Lorsque nous avons accompli notre travail sur Terre, il est temps de partir le cœur léger. À quoi bon survivre misérablement, nous accrocher de peine et de misère plutôt que d'accepter le départ inévitable vers ce monde de lumière qui nous attend ? Notre souffrance serait moins intense, notre fin moins laborieuse et moins interminable pour nous et pour les autres. Mais il y a souvent une partie de nous qui refuse de lâcher prise, une partie parfois encore inconsciente attachée à son passé, à ses biens et à son monde Et il y a aussi les autres qui, parfois, ne veulent pas laisser aller le mourant…

QUAND MEURT-ON ?

Qu'arrive-t-il donc à la mort du corps physique ? Laissé au sol, le corps se désintègre à une vitesse qui varie selon divers facteurs : le milieu dans lequel il repose, la température, les bactéries et les mouches en présence, etc. Dans des conditions qu'on pourrait qualifier d'optimales, il finit par être décomposé au bout de 15 jours au bénéfice de l'écosystème environnant. Dès la mort, tout un nouveau système vivant se met en branle au niveau microscopique. Je vous fais grâce de ce processus peu ragoûtant qui illustre pourtant bien que, selon les lois de la biologie, rien ne se perd et tout se recompose différemment. Le cadavre qui pourrit regorge de vies multiples. Finit-il vraiment par mourir un jour ?

Il est difficile de poser des jalons précis quant au moment exact de la mort. Est-elle déclarée au moment de l'arrêt cardiaque ou selon le tracé plat enregistré à l'électroencéphalogramme (EEG), par exemple ? On peut avoir une mort cérébrale complète alors que le cœur continue à battre, tout comme l'inverse. Parfois, le cœur a cessé tout mouvement et pourtant l'EEG démontre des ondes positives. Beaucoup de confusion existe mais, dans les faits, nous sommes officiellement morts… quand le médecin le déclare ! En effet, sur le plan juridique, l'État s'en remet aux médecins pour déterminer ce moment.

De façon générale, la mort cardiaque et la mort cérébrale se suivent mais des exceptions surviennent, ce qui complique la situation. La mort cérébrale correspond concrètement à un corps sans tête. Voilà pourquoi il devient parfois nécessaire de débrancher les appareils de toutes sortes qui entretiennent les battements cardiaques. Mais comment et quand déclarer un cerveau hors d'usage ? Les signes cliniques peuvent aider, sans jamais écarter tout doute. La vie est complexe, tout comme sa fin.

J'ai toujours été intrigué par ce qui se passait après l'échec des manœuvres de réanimation cardiorespiratoire. Qu'est-ce qui suit le verdict de mort énoncé par le médecin ? Habituellement, le personnel de soutien quittait la salle de réanimation et je me retrouvais seul avec le patient, cette personne que je venais de déclarer décédée. Je la regardais, alors que le silence reprenait progressivement possession de la pièce. Ma réflexion sur la mort était d'autant plus troublante lorsque je me trouvais en compagnie d'un jeune adulte ou d'un enfant. Pourquoi mourir si tôt ? Il me semblait absurde que tout s'arrête ainsi pour ces petits patients. Ne dit-on pas que l'Homme a été créé à l'image et à la ressemblance de Dieu, c'est-à-dire immortel ? Assurément, l'être humain ne pouvait mourir aussi bêtement.

Devant ce corps inanimé, silencieux, je me demandais si c'était vraiment la fin. Pourtant, il me semblait que je pouvais encore lui parler, qu'il pouvait m'entendre même si moi, je ne le pouvais plus. Quelque chose m'échappait-il ? J'ai toujours cru en une existence après la vie. C'est ainsi qu'on m'avait enseigné au collège, mais dans cette pièce, toute la question de l'après-vie prenait de plus en plus de place pour le chercheur que j'étais. Pour moi, comme pour la majorité des gens, l'après-vie devait exister.

Nous ne pouvons évidemment pas prouver scientifiquement son existence, pas plus que celle de l'amitié, puisque nous ne pouvons la soumettre à une enquête rigoureuse. Mais je me disais que, de toute façon, la vie est remplie de situations où il faut croire sans garantie. La foi est présente dans tous nos rapports humains et nos relations. La foi nous fait avancer, progresser, nous permet de prendre des décisions et parfois même de sauter dans l'inconnu pour le meilleur de nous-mêmes ou pour notre plus grand bien. Pourquoi n'en serait-il pas ainsi face à la mort ? Je souhaitais donc bon voyage à l'individu devant moi, convaincu qu'il me comprenait.

LES SOINS À APPORTER AU CORPS

En Amérique du Nord ou en Europe, plusieurs techniques permettent de disposer du corps d'un défunt. Je vous en présente quatre. À chacun de choisir celle qui lui semble préférable en fonction de ses valeurs. Évidemment, selon les lieux, il n'y a parfois qu'une seule option possible.

Habituellement, quelques jours – parfois même quelques heures – suffisent pour que le corps soit acheminé à une maison funéraire. D'après certaines croyances, il serait opportun de laisser s'écouler un peu de temps avant de procéder au service funéraire. Par exemple, selon les traditions asiatiques, un délai de deux jours serait optimal pour s'assurer que la mort est irréversible et permettre à l'âme de bien s'ajuster à sa nouvelle dimension.

L'inhumation (*in humus*), qui consiste à mettre le corps en terre après l'avoir embaumé, a longtemps été pratiquée au Québec et en Europe. L'embaumement demeure la méthode la plus utilisée pour les soins de conservation du corps et la destruction de micro-organismes. Le thanatologue injecte des produits qui ralentissent la décomposition du corps pour les jours à venir. Avec cette technique, celui-ci devient aseptisé à 90%. Les composants sont toutefois très toxiques et sont ensuite absorbés par le sol et les eaux. Pour cette même raison, la thanatopraxie devrait être évitée si nous décidons de faire une crémation ultérieure, car les produits toxiques seront libérés dans l'atmosphère. Chose fascinante, tout porte à croire que les corps se décomposent plus lentement qu'auparavant en raison de la quantité d'additifs et d'agents de conservation que nous utilisons et ingérons dans nos aliments ultra-transformés!

Selon la Corporation des thanatologues du Québec, la crémation (à ne pas confondre avec incinération, qui fait référence aux déchets ou aux animaux) est la technique la plus utilisée dans le monde. On estime que 72% des mourants étaient incinérés en 2015 au Québec[20]. La raison est simple: cette technique est pratique et ne laisse aucun résidu toxique dans l'environnement. De plus, elle brûle tous les poisons, les

20. Vicky Fragasso-Marquis, «La crémation perd en popularité au Québec», *La Tribune*, 2 août 2016. En ligne: www.latribune.ca/actualites/la-cremation-perd-en-popularite-au-quebec-4b203f8ec8d27af7c89e1ab74d84286a.

médicaments, les maladies, les virus, les cancers et ne contamine pas les sols et les nappes phréatiques. Le feu est un purificateur de premier ordre. Ses conséquences environnementales sont très faibles, si ce n'est des 17 litres d'essence qui lui sont nécessaires. L'effet est rapide et permettrait au défunt, selon certaines croyances, de se dégager plus facilement et rapidement du monde matériel et des émotions qui ont altéré le corps physique. Son départ pour l'autre monde serait ainsi facilité et accéléré.

La crémation est notamment pratiquée chez les hindous. Une cérémonie d'incinération sur un bûcher a lieu au bord d'un cours d'eau sacré pour que les cendres se mêlent à l'eau et qu'ainsi l'âme retrouve son état de félicité et de liberté. Pour les hindous, cette façon de faire est primordiale pour qu'à la mort du corps, l'âme retourne dans le cycle des naissances, ou « samsara ». Le samsara cesse lorsque l'individu n'a plus de karma. La notion de karma est importante et mérite qu'on s'y arrête, ce que nous ferons dans un chapitre ultérieur.

L'aquamation est une solution de rechange toute récente. Au lieu de disposer du corps par le feu, on utilise l'eau. Le corps est plongé dans de l'eau chaude avec une forte densité minérale sous forme de bicarbonate à haute concentration qui dissout les organes et les divers tissus du corps humain. Les os restants sont ensuite broyés et réduits en poussière. Tout comme la crémation, elle permet de combattre la dissémination des maladies générées par les cadavres. Elle a un impact écologique faible, mais nécessite toutefois plus de temps.

Enfin, l'utilisation de cercueils biodégradables dans lesquels on place des corps exempts d'artifices de conservation semble la technique la plus verte. On peut parfois y planter un arbre en souvenir de l'être aimé. Malheureusement, cette option semble incompatible avec les cimetières aménagés près de cours d'eau. De plus, il faudrait faire une étude environnementale avant d'enfouir des milliers de corps en décomposition naturelle. Les futures recherches pourront nous guider à faire de justes choix en termes d'écologie souhaitable. Pour le moment, la crémation semble la meilleure option.

VOUS AVEZ RENDEZ-VOUS, MAIS NE CONNAISSEZ PAS L'HEURE

La mort est la plus grande des certitudes de notre vie. Nous en convenons tous, mais préférons bien souvent l'ignorer. Ce rendez-vous ne devrait cependant pas nous prendre par surprise. Nous devrions être prêts même si l'heure n'a pas été précisée. Mais comment nous préparer ? Je m'en voudrais de terminer ce chapitre sans insister une fois de plus sur l'importance de mener une vie pleinement satisfaisante, au risque sinon de le regretter cruellement au moment du grand départ. Dans notre société hautement compétitive, nous ne savons plus accorder à l'amour et à l'amitié l'importance qui leur revient. Rémi Tremblay, dans son ouvrage *Les fous du roi*[21], décrit la tyrannie des actionnaires à la recherche d'un rendement à court terme sans cesse croissant et la folie des présidents en porte-à-faux qui se dépouillent peu à peu de leur humanité pour plaire aux premiers.

---

21. Rémi Tremblay, *Les fous du roi,* Montréal, Éditions Transcontinental, 2004.

Combien d'hommes et de femmes sont aujourd'hui à la solde d'entreprises qui les grugent petit à petit ? Et je ne parle pas uniquement des dirigeants, mais de tous ceux qui sont continuellement préoccupés par la sainte trinité : métro, boulot, dodo... Il est important de faire un examen de conscience sur notre mode de vie, non seulement pour notre santé physique, mais tout autant pour notre santé psychologique et spirituelle. Quelles sont nos véritables valeurs ? Nous n'emporterons ni contrat juteux, ni éclatante réussite professionnelle de l'autre côté. L'accomplissement d'une vie bien consommée est une richesse en soi. Nous commençons très jeune à capitaliser pour notre retraite, mais nous devons dès maintenant dépasser le capital financier et souscrire à du nouveau capital, celui du capital spirituel. Ce sera le seul héritage que nous emporterons de l'autre côté et qui aura plus de valeur que tout l'or du monde. Aux dernières heures, c'est l'amour de nos proches et la profondeur de nos relations qui soulageront nos souffrances et nous aideront à partir le cœur léger, satisfait. Valois Robichaud, sympathique docteur en sciences de l'éducation et gérontologue humaniste rencontré dans la péninsule acadienne, décrit fort bien, dans son livre *La peur de vieillir*[22], la réalité de notre monde « fortuné » : « Ces riches de l'avoir et du savoir sont tout à coup dépourvus et pauvres lorsque la vie leur donne rendez-vous ailleurs que dans les sentiers connus qu'ils maîtrisent. »

---

22. Valois Robichaud, *La peur de vieillir : un pas vers l'euthanasie ?*, Montréal, Éditions du CRAM, 2011.

PAROLES POUR UN ÊTRE CHER

L'Homme est devenu pleinement humain lorsqu'il a intégré la mort dans sa vie à travers les rites funéraires. Contrairement aux animaux (bien que certains se livrent à une forme de rituel), la célébration de la mort est un moment de rassemblement où nous créons des liens. C'est aussi un moment pour se remémorer l'être cher, raconter des événements heureux du temps de son vivant, des anecdotes positives et joyeuses, se souvenir de ses qualités. Même si le rituel s'adresse au défunt, il est également destiné à nous, vivants, car il nous permet d'apprivoiser la mort et par le fait même de donner un nouveau sens à notre vie. C'est un temps idéal pour réaliser le fait qu'un jour, ce sera notre tour et que nous devrions être remplis de gratitude pour tout ce que la vie nous a apporté jusqu'à maintenant.

Les mots sont un outil remarquable pour exprimer les sentiments que le voyageur nous a inspirés. Une adresse à la personne décédée est un discours d'adieu mais aussi une façon toute simple de la garder près de nous. Chacun, jeune ou moins jeune, peut composer, selon son intuition et ses sentiments de joie ou de tristesse, un témoignage pour le disparu toujours présent dans son cœur. C'est l'occasion de dire en ses propres mots combien cette personne était importante. Les larmes seront de la partie, puisque c'est le moment du départ.

Si vous manquez d'inspiration, vous trouverez sur Internet plusieurs textes fort émouvants qui pourront vous aider. Je me suis moi-même inspiré de certaines sources[23] pour rédiger l'hommage suivant, destiné à ma belle-mère. Nous n'avions pas encore à pleurer son départ puisqu'elle avait 93 ans et vivait encore tout en souffrant d'une maladie chronique invalidante. J'ai souhaité mettre l'accent sur ce qu'elle pourrait nous dire une fois parvenue de l'autre côté.

DON'T WORRY, BE HAPPY

La mort n'est rien.
Je suis seulement dans la pièce à côté.
Et là où je suis, je me sens encore moi, et encore davantage.
Et là où vous êtes, continuez à être toujours vous.
Car tout est bien, et tout se poursuit comme il se doit.
Don't worry, be happy
La vie est belle.

Appelez-moi par mon nom, comme vous m'avez toujours appelée.
Parlez-moi comme vous m'avez toujours parlé.
Que mon nom soit prononcé sans tristesse.
Continuez à rire de ce qui nous a toujours fait rire.
Car là où je suis, je ne ressens que la joie.
Don't worry, be happy

23. Notamment *La mort n'est rien,* de Henry Scott Holland, traduction d'un extrait de *The King of Terrors,* sermon sur la mort, 1910. Ce texte est quelquefois attribué à Charles Péguy, d'après un texte de saint Augustin.

Dans ce corps qui me délaissait de plus en plus,
J'ai finalement réalisé
Que je n'étais plus lui, lui qui vieillissait,
Maintenant trop usé et duquel je devais me séparer
Pour pouvoir davantage m'élever.
Don't worry, be happy

Pensez à moi, souriez et priez
Mais sans tristesse d'aucune sorte.
Voyez-moi dans la lumière plus que jamais.
Ce dont j'ai le plus besoin,
C'est de votre aimable sourire et de votre amour,
Qui me dit que je suis sur le bon chemin.
Don't worry, be happy

Ma vie sera encore plus vaste
Dans cette après-vie, encore plus infinie.
Pourquoi serais-je hors de vos pensées
Simplement parce que je suis hors de votre vue ?

J'ai entendu quelqu'un de l'autre côté,
Quelqu'un dans la lumière qui m'a appelée
Quelqu'un avec qui on se sent béni.
Je ne suis pas loin, juste de l'autre côté,
Dans la pièce d'à côté où tout est si bien.
Vous voyez, tout est bien.
Don't worry, be happy

Laissez-moi partir
Car j'ai tellement de choses à revoir et à comprendre.
Ne pleurez pas en pensant à moi.
Soyez reconnaissants pour les belles années passées ensemble
Pendant lesquelles je vous ai donné toute mon affection.
Et merci pour le bonheur que vous m'avez apporté
Et pour l'amour que chacun m'a démontré.
Don't worry, be happy

Maintenant, il est temps pour moi de voyager sans votre présence.
Pendant un court moment vous pouvez ressentir de la peine.
Mais que nos bons souvenirs balaient votre peine.
Et soyez certains que je suis bien même en votre absence.
Bien mieux que vous pouvez l'imaginer.
Cette conviction vous apportera consolation.
Don't worry, be happy

Ce qui est bien,
C'est que nous ne serons séparés
Que pour un certain temps !
Je suis juste de l'autre côté
Et la vie continue pour le mieux.
Et si vous écoutez votre cœur,
Vous éprouverez clairement la douceur
De mon amour qui est toujours là.
Don't worry, be happy

Et quand il sera temps
Pour certains d'entre vous de partir,
Je pourrai être encore là pour vous accueillir.
De mon corps physique absent
Mais dans mon corps de lumière
Pleinement présent.

Allez sur ma tombe si vous voulez,
Non pas pour pleurer
Mais pour vous recueillir sur la vie
Et tout autant sur votre après-vie
Qui sera également un jour votre hôtesse
Et votre amie à vous aussi.
Et vous aussi vous pourrez vous dire :
Don't worry, be happy

Soyez heureux de ce rendez-vous
De mon corps avec la mort.
J'ai quitté ce corps
J'ai enlevé ce vieux manteau
Usé et devenu trop petit
Pour l'être magnifique que je suis.
Don't worry, be happy

Sur quelque pente du mont Saint-Sauveur,
Quand le printemps réapparaîtra l'an prochain
Et qu'apparaîtront les premières fleurs des prairies
Mon corps fané et desséché
Aura servi de sève dans les tiges des fleurs
Pour que l'éclatante rose
Puisse encore vous émerveiller.
La vie est belle.
Don't worry, be happy

Mais si vous voulez véritablement me voir,
Ne regardez pas en bas, mais plutôt en haut
Alors que mon âme s'élève toujours plus haut
Départie du poids
De toutes ces années
Rendues pénibles.
Laissez-moi m'envoler
Maintenant devenue si légère.
Don't worry, be happy

Je suis bénie,
Car loin d'avoir perdu le jour et la lumière
Je me suis retrouvée dans toute ma grandeur
Une grandeur que je ne pensais pas contenir.
Croyez qu'on ne meurt jamais quand on meurt de la sorte.
Don't worry, be happy

Il vous revient de trouver les mots qui sauront vous consoler et rappeler à tous quelle personne formidable vous a quitté.

10

Des expériences étonnantes : les EMI

« La mort est uniquement affaire de conscience : nous sommes conscients, puis nous 'perdons' conscience, puis nous retrouvons aussitôt la conscience… mais ailleurs. »

J'ai beaucoup lu sur les phénomènes des expériences de mort imminente (EMI). Le Dr Raymond Moody, médecin et docteur en philosophie, a écrit en 1975 *La Vie après la vie*[24], qui porte sur ce type d'expériences. Cet ouvrage m'avait particulièrement intéressé. À titre de médecin côtoyant quotidiennement la mort, je me devais d'approfondir ce qui avait échappé à mon cursus médical.

---

24. Raymond Moody, *La Vie après la vie,* Laval, Guy Saint-Jean éditeur, 2015.

Une fois revenues dans notre monde après quelques heures, quelques jours ou même quelques mois passés dans un coma profond, la plupart des personnes ayant vécu une EMI rapportent la même chose de ce voyage, de ce moment où la mort n'a pas voulu d'elles et à la suite duquel elles ont dû regagner leur corps physique. Leurs témoignages de ces visites dans l'au-delà se ressemblent tous et racontent des visions et des expériences similaires : sensation de s'élever au-dessus de son corps, tunnel, lumière... Tant de gens peuvent-ils se tromper ?

Fait remarquable : durant leur passage dans l'autre monde, ces personnes ont rapporté n'avoir rencontré que compréhension et amour, il n'y avait ni culpabilité, ni tourment, ni peur. Fait encore plus étonnant, ces EMI transforment littéralement les gens qui les vivent. Après avoir réintégré leur corps, ces personnes développent une sérénité et un amour pour la vie et pour autrui tout à fait bouleversants. La mort ne les effraie plus, toute forme de peur a disparu. À en croire leur expérience, voici ce que la mort aurait de si terrible à nous apporter : de justes relations humaines, l'amour partagé, la gratitude envers la vie, le pardon sans justification. Que s'est-il passé ? Une telle transformation et de telles conditions d'amour, de service et de clarté d'esprit ne sont sûrement pas le fait de simples molécules chimiques libérées sous le choc par le cerveau ou d'autres organes... Faut-il attendre de faire connaissance avec la mort pour réaliser notre grandeur et notre immortalité ?

LA SCIENCE S'INTÉRESSE AUX EMI

Dans le cadre de ses travaux, le docteur Raymond Moody a fait des milliers de suivis auprès de gens qui ont connu une EMI. Il a visité des patients revenus de leur coma et d'autres qui avaient fait une EMI après une réanimation cardiorespiratoire en milieu hospitalier. Il a tenté de recueillir avec le plus de précision possible les propos des gens qui se sont retrouvés face à la mort. Parmi ceux-ci, il a rencontré personnellement Dannion Brinkley. Selon lui, ce cas fut sûrement le plus intéressant de tous. Nous y reviendrons un peu plus loin dans ce chapitre.

Le Dr Moody est probablement le plus connu des scientifiques s'intéressant aux EMI, mais il n'est pas le seul. Le médecin anesthésiste français Jean-Jacques Charbonier est un pionnier de l'étude des expériences de mort imminente. Auteur de plusieurs ouvrages, il est convaincu de l'existence de la vie après la mort. Tout comme le Dr Ben Alexander, il traite de l'existence d'une conscience indépendante de l'activité des neurones cérébraux. Voilà une hypothèse des plus intéressantes. Le Dr Charbonier a consacré plus de 30 ans à ses recherches sur les EMI. Sa conclusion est que nous avons tous une conscience extra-neuronale unique, éternelle et reliée à l'univers intelligent. En tant qu'individus, nous faisons partie du grand réseautage universel. Notre place dans l'univers ainsi que nos relations prennent une tout autre dimension.

Le docteur Charbonier s'est intéressé aux travaux du Dr François Lallier qui, en 2014, a présenté une thèse médicale peu banale sur les EMI. Un médecin qui ose s'aventurer dans les zones interdites de la science médicale et reçoit tout de même de grands honneurs : il fallait le faire ! Lors d'une conférence filmée à Reims le 26 avril 2015, le docteur Charbonier prononça ces quelques mots au sujet du Dr Lallier : « Ce jeune médecin en début de carrière va remettre ce sujet sulfureux sur la table des discussions. Nous avions l'habitude d'entendre, plus que d'écouter, les sempiternelles explications matérialistes du cerveau producteur de conscience et ici, on découvre avec cet exposé une nouvelle génération de médecins ouverts à la physique quantique, à l'option du cerveau émetteur-récepteur d'informations. » Le docteur Lallier affirme même que cette hypothèse d'une conscience partiellement indépendante du cerveau « n'est pas irrationnelle sur le plan scientifique et s'avère la seule à pouvoir expliquer les faits liés aux expériences de mort imminente ».

De prestigieux hommes de science pensent comme Lallier. C'est notamment le cas de John Eccles, un Australien récipiendaire du prix Nobel de physiologie et de médecine en 1963 pour son travail sur la conduction des neurones, et de Gary E. Schwartz, docteur en psychiatrie de l'Université de Harvard, professeur de psychologie diplômé de l'Université de Yale et professeur à l'Université de l'Arizona. Ce dernier s'est aventuré sur un terrain dangereux pour un scientifique de renom : recourant à des démarches scientifiques adaptées à son sujet, il explore les questions de l'au-delà, de la médiumnité, du contact avec les esprits ainsi que de la survie de la conscience humaine après la mort. Voilà bien l'ultime tabou pour un scientifique ! Il a même écrit plusieurs livres afin de rendre compte de ses recherches et de ses conclusions sur la conscience, qui survivrait après la mort et aurait un rôle dans la guérison et la santé du corps. La théorie, non prouvée scientifiquement, selon laquelle les phénomènes ressentis résulteraient de la libération par le cerveau de molécules biochimiques euphoriques ou hallucinogènes (alors que le cerveau est déclaré mort) ne tient plus la route. Comment un cerveau à l'encéphalogramme plat et déclaré mort pourrait-il envoyer de telles molécules biochimiques actives ? Mais qui alors pourrait apporter toutes ces impressions vécues et ramenées dans notre monde matériel ? Serait-ce la conscience ?

LA CONSCIENCE, QU'EST-CE QUE C'EST ?

Selon le dictionnaire Larousse, le mot « conscience » vient du latin *conscientia*, lui-même dérivé du verbe *scire*, qui veut dire « savoir ». La conscience serait donc la « connaissance, intuitive ou réflexive immédiate, que chacun a de son existence et de celle du monde extérieur[25] ». La conscience est donc un savoir ; elle est personnelle et résulte de notre personnalité et de nos expériences. On la suppose évolutive, amenée à changer constamment au fur et à mesure que nous changeons nous-mêmes, que nous progressons, que nous apprenons. En tant qu'adultes, notre conscience est totalement différente de celle que nous avions à six ans. On peut donc supposer qu'elle est affectée – ou infectée ! – par nos convictions, nos sens, nos croyances et nos expériences.

---

25. Larousse en ligne : www.larousse.fr/dictionnaires/francais/conscience/18331?q=conscience#18225.

La conscience de l'Homme devient plus grande lorsqu'il s'investit pleinement dans le moment présent. Il devient alors superconscient. Plus nous nous investissons dans le présent, au lieu de vivre sur le pilote automatique, plus notre degré de conscience grandit. Agir au lieu de réagir, poser les gestes appropriés et prononcer les paroles adéquates : ainsi s'exprime l'ancrage dans le présent d'un homme conscient. La conscience est donc un principe qui tend à l'expansion et à l'évolution. Elle est difficile à cerner, car elle se développe au fur et à mesure que la connaissance de soi s'approfondit. Plus nous devenons conscients de nous-mêmes, plus notre conscience de l'univers s'accroît.

La physique quantique démontre que la réalité est liée et corrélée avec la conscience humaine. Elle a notamment prouvé que l'observation consciente de l'Homme sur une expérience peut en modifier les résultats. Nous avons vu que le monde qui nous entoure et l'Homme lui-même sont lumière. Au départ, la lumière est une onde ; c'est l'acte d'observation qui la fait devenir une particule visible. Le monde physique tout autour de nous ne serait donc visible uniquement parce que nous le regardons ! C'est ce qui faisait dire à Einstein : « J'aime penser que la Lune est là même si je ne la regarde pas. »

Plus la conscience de l'Homme se développe, plus grande est la part de la réalité qui lui devient accessible. Le monde invisible devient ainsi moins mystérieux à ses yeux. La définition de la réalité peut donc varier beaucoup selon le point d'observation. L'énigme, le paradoxe de la conscience, c'est que la conscience tente de s'autodéfinir. Auguste Comte nous parle de la difficulté de concevoir la conscience : « Personne ne peut se mettre à la fenêtre pour se voir passer dans la rue. » Ou ce que les bouddhistes formulent un peu différemment : « Un couteau ne peut se couper lui-même. »

Les scientifiques tentent néanmoins de définir cette conscience. J'ai eu la chance de participer à des symposiums en médecine fonctionnelle à Carlsbad, en Californie. Ceux-ci se tenaient au centre du Dr Deepak Chopra, où le bien-être, la connaissance et la transformation de l'Homme sont à l'honneur. Selon le docteur Chopra, pionnier des approches holistiques de la santé, tout serait affaire de conscience : « La réalité ne peut être abordée autrement que par la présence[26]. » Défenseur international des médecines alternatives, classé parmi les personnalités internationales les plus inspirantes du XXe siècle par le *Time Magazine*, le docteur Chopra soutient que la science nous pousse au-delà du monde empirique que nous pouvons observer. Endocrinologue d'origine indienne, Chopra n'a eu de cesse d'essayer de concilier les pratiques scientifiques occidentales et la sagesse ancienne orientale. Selon ces traditions spirituelles, la conscience est à la source de tout, elle est une réalité immatérielle mais fondamentale. Pour Chopra, tout comme pour Einstein et Amit Goswami, physicien quantique, l'existence d'une force invisible supérieure ou, en d'autres mots, d'une conscience qui englobe tout et qui

26. Miriam Gablier, « Deepak Chopra : "La conscience est la clé" », *Inexploré*, 11 mai 2016. En ligne : https://www.inrees.com/articles/entretien-deepak-chopra-conscience/

gouverne tout, est donc certaine. Cette conscience invisible que nous ne pouvons localiser est difficile à concevoir pour nous qui vivons dans un monde concret, que nous pouvons toucher et voir. Certains lui donnent le nom de « dieu » pour la rendre plus concrète. Puisque notre monde tangible découlerait donc de cette forme de conscience que nous ne connaissons pas, Chopra avance que la science devrait nous amener là où commence une autre dimension.

Pour le docteur Jean-Jacques Charbonier, médecin anesthésiste français, il y aurait deux consciences : la conscience analytique cérébrale (CAC), notre conscience en charge des apprentissages quotidiens, celle qui fait le tri de toutes les informations recueillies avec nos cinq sens, et la conscience intuitive extraneuronale (CIE), c'est-à-dire en dehors du cerveau. Elle serait reliée à une source d'information délocalisée (en dehors de notre cerveau et de la matière) et serait immortelle (en dehors du temps et de l'espace). Elle serait toujours agissante mais filtrée constamment par notre conscience analytique cérébrale. Tous les phénomènes de voyance, de médiumnité, de télépathie relèveraient de la CIE. Nous pourrions aller encore plus loin en décrivant la conscience comme l'ultime développement de l'être humain, un état de l'esprit qui serait au-delà de tout, même de ce que nous pouvons penser qu'il sera un jour : l'Homme parfaitement conscient de sa lumière et de son essence.

La conscience ne peut plus être perçue comme un simple sous-produit du cerveau, donc de la matière. Comment quelque chose d'aussi matériel que le cerveau pourrait-il générer quelque chose d'aussi immatériel que la conscience? Mario Beauregard, docteur en neurobiologie de l'Université de Montréal, a branché des électrodes sur le crâne de moines bouddhistes et de carmélites en prière. Sa conclusion: «Ces êtres sont entrés en contact avec une force objectivement réelle, transcendantale, un au-delà d'eux-mêmes, du temps et de l'espace[27].» Pour lui, les expériences mystiques vécues ne sont pas de mystérieuses pathologies mentales frôlant l'hystérie. Un nouveau paradigme est en train d'émerger: les notions de pensée, de croyance, de télépathie et de conscience sont en train de révolutionner le monde. Elles n'attendent plus que la science prouve leur réalité hors de tout doute!

L'écrivain américain Ken Wilber est une autre personnalité captivante. Ayant abandonné des études en médecine, il poursuivit des études en chimie et en biologie. Il s'intéressa de plus à la littérature orientale et au bouddhisme et développa une méthodologie sur la théorie intégrale de la conscience. Selon Wilber, la conscience est fondamentale: au départ elle est simple et se complexifie au fur et à mesure de son développement. Le cosmos serait composé d'unités individuelles, qu'il nomme des «holons». Tels des photons, ces unités individuelles forment des atomes, qui forment à leur tour des molécules, puis des organes, puis des organismes et ainsi de suite. Tout l'univers et notre monde sont ainsi des parties d'autres

27. Mario Beauregard et Denyse O'Leary, *Du cerveau à Dieu : plaidoyer d'un neuroscientifique pour l'existence de l'âme,* Paris, Guy Trédaniel éditeur, 2008.

parties. Chacune des unités, aussi petite soit-elle, est une conscience simple qui peut se joindre à d'autres afin de former une conscience plus complexe. Par exemple, les cellules de notre corps ont conscience de leur propre fonctionnement et de leur propre existence. Elles vivent par elles-mêmes. De même, notre corps a sa propre conscience et il fonctionne sans notre conscience cérébrale. Bien sûr, nous ne nous rendons pas compte de tous les mécanismes qui opèrent constamment dans notre corps. Il n'en demeure pas moins que toutes ces consciences s'accumulent quasi à l'infini. Un individu peut donc avoir une conscience individuelle, une conscience collective en tant que citoyen d'une ville, une conscience québécoise, une conscience canadienne, une conscience européenne, une conscience terrienne, etc. La conscience est omniprésente et nous relie tous. Qui sait, peut-être les ordinateurs auront-ils un jour une certaine conscience qui pourra communiquer avec la nôtre !

Pour Wilber, cet « Einstein de la conscience », la conscience n'est pas localisée dans le cerveau, ni non plus en dehors du cerveau. Elle serait non localisée, partout à la fois. Ken Wilber reconnaît la difficulté que représente l'exploration de la conscience, car pour en comprendre l'immensité, il faut avoir soi-même développé sa conscience à un haut niveau, comme Jésus ou le Bouddha. Dans le livre *Réfléchissez-y,* de l'auteure occultiste britannique Alice Bailey, le personnage du maître tibétain (Djwhal Khul) avance en des mots succincts mais combien ponctués que « le développement de l'être humain n'est que le passage d'un état de conscience à un autre. C'est un déplacement progressif de la conscience qui est d'abord polarisée dans la personnalité, ou moi inférieur, ou corps, puis dans le moi supérieur, ou âme; enfin dans la Monade ou Esprit, jusqu'à ce qu'elle soit finalement divine[28] ». La conscience serait donc un phénomène expansif qui se développe à l'infini et plus l'individu progresse et s'avance, plus la conscience s'élargit et englobe tout.

En tant qu'habitants de la Terre, il est difficile pour nous, étant donné notre unité de conscience limitée par notre petit univers terrestre, de prendre conscience de ce qui s'opère dans d'autres mondes ainsi que dans les mondes invisibles à nos yeux. Pour ne serait-ce que tenter de commencer à y arriver, il nous faut avancer en dehors des sentiers battus et rejeter des croyances admises depuis longtemps. J'avoue que toutes ces notions sur la conscience ne sont pas faciles à appréhender mais si elles ont pu faire naître chez vous un certain intérêt ou soulever quelques questions, ce sera déjà bien.

DES EXPÉRIENCES QUI BOULEVERSENT NOTRE CONCEPTION DE LA MORT

Revenons aux EMI (expériences de mort imminente). Phénomènes banals pour plusieurs, mais insolites pour d'autres, notamment les esprits plus scientifiques, elles ne cessent d'intriguer, et ce, depuis bien longtemps. La littérature et le cinéma en regorgent; les œuvres qui en présentent sont

28. Alice A. Bailey, *Réfléchissez-y*, Genève, Lucis Trust, 1990.

regroupées dans un genre appelé le fantastique. Mais les EMI le sont-elles vraiment, fantastiques ? La science ne sera-t-elle pas capable un jour d'expliquer ce qu'on ne comprend pas aujourd'hui ?

J'ai eu l'opportunité de rencontrer le Dr Ben Alexander, neurochirurgien à Harvard, et le Dr Robert Moody, psychiatre et spécialiste des EMI, lors d'événements tenus en septembre 2018 et en août 2019. Le dernier symposium avait pour but de présenter des expériences de fin de vie. Il y avait plusieurs invités de marque, parmi lesquels des scientifiques, des médecins, des infirmières, des thérapeutes ainsi que des personnes ayant elles-mêmes vécu des expériences de mort imminente. Pour le Dr Alexander, il n'y a plus de doute quant aux phénomènes de l'après-vie. Alors qu'il était atteint d'une encéphalo-méningite bactérienne des plus graves en 2008, il tomba dans un coma profond. Son cerveau ne répondait plus à aucun stimulus, si bien que ses confrères voulurent débrancher les appareils qui le maintenaient en vie. Par le plus grand des mystères, il sortit de son coma au bout de sept jours. Au cours des mois qui suivirent, il récupéra pleinement la santé. Toutefois, un changement marqué ne tarda pas à se faire remarquer : son approche face à la vie avait changé… pour le mieux.

Son témoignage est tout à fait bouleversant. Ce médecin érudit de Harvard à l'esprit rationnel est convaincu qu'un paradis existe, que l'après-vie est une réalité. Pendant son coma, il aurait voyagé dans cette autre dimension et rencontré des êtres de lumière remplis de compréhension, de bonté et de sagesse.

Avant ce voyage, le docteur Alexander ne parvenait pas à concilier sa science avec la moindre croyance en un paradis, Dieu ou l'âme. Aujourd'hui, ce médecin croit que la santé globale ne peut être atteinte qu'en réalisant que Dieu et l'âme sont bien réels et que la mort n'est pas la fin de l'existence, mais seulement une transition. Complètement rétabli, alors que la médecine le croyait perdu, il se donna comme défi d'apporter un message au monde: « Nous sommes immortels, notre conscience n'est ni contenue ni limitée par notre cerveau. La mort n'est pas la fin et l'amour est la plus grande force de l'univers. » De la part de ce scientifique, cette affirmation est tout à fait étonnante et nous amène à nous questionner sur ce qui nous attend tous.

Une autre personne qui m'a beaucoup appris sur les EMI est Dannion Brinkley, qui fut électrocuté à deux reprises. Brinkley décrit avec précision les êtres de lumière rencontrés alors qu'il était dans un coma profond, le corps calciné. Pourtant, avant cette expérience, il était tout à fait sceptique devant l'éventualité d'un autre monde. Lors de son deuxième coma, il a rencontré de nouveau ces êtres de lumière qui lui ont transmis des connaissances qu'un homme comme lui n'aurait pu connaître. Son livre *Sauvé par les anges* est un des plus beaux témoignages que j'aie eu la chance de lire.

> J'avais tout juste 25 ans. Nous étions le 17 septembre 1975, il y avait un violent orage dans ma petite ville de Caroline du Sud, j'étais en train de téléphoner et c'est alors que la foudre tomba sur un arbre qui s'écrasa sur le toit de la maison. Brutalement, un éclair me traversa,

> mon corps fut secoué par des chocs électriques. Une secousse violente me projeta en l'air. Je fus comme arraché de mes chaussures dont les semelles restèrent soudées au parquet. Subitement je sortis de mon corps et... entrai dans un autre monde! Comme je planais en l'air sous le plafond, je repérai mon corps en bas. Mes chaussures fumaient encore et je tenais l'écouteur fondu dans la main. L'insoutenable douleur qui me tenaillait l'instant d'avant avait laissé place à une sensation de paix et de tranquillité. J'éprouvais un bien-être comme je n'en avais jamais connu, j'étais immergé dans la sérénité pure[29]!

Ces sensations où l'amour pénètre tout et où la connaissance est accessible spontanément sont décrites chez la plupart des gens ayant connu une EMI. Ils reviennent transformés, avec le besoin de dire et d'appliquer ce qu'ils ont trouvé beau et bon de l'autre côté. Ce qui est plus spectaculaire chez Dannion, c'est qu'il fut électrocuté à nouveau. À la suite de ce nouveau coup du sort, il sortit de son corps et vit tout ce qui se passait autour de lui, les plantes, sa femme et les médecins qui tentaient de le réanimer. Il est revenu partiellement paralysé en raison de l'intensité des brûlures. Après plusieurs mois, il recommença à marcher, retrouva sa pleine santé et surtout cette bonne humeur, cet amour de la vie et cette absence de peur qui le caractérisent maintenant.

Je voulais rencontrer cet homme résolument hors du commun qui avait une telle expérience de vie. Lorsque je le vis pour

---

29. Dannion Brinkley, *Sauvé par les anges*, Paris, Robert Laffont, 1995.

la première fois, ce grand gaillard ouvrit tout grand ses deux bras et me donna une accolade d'une telle vigueur qu'il me souleva de terre. Je n'avais jamais rencontré quelqu'un d'aussi vivant, amoureux de la vie, ouvert aux autres et confiant devant la mort. Il donna une conférence des plus animées, lui qui était mort deux fois. Il gesticulait et nous faisait rire sans cesse. Il avait apprivoisé la mort et nous transmettait la beauté de cet autre monde qu'il avait perçue. Il en était revenu non seulement rempli d'amour et de gratitude, mais avec des facultés étonnantes. Dans son livre, *Sauvé par les anges*, il explique qu'il suffisait qu'il fixe quelqu'un pour voir subitement les épisodes de sa vie aussi clairement que s'il regardait un film à la télévision. Parfois aussi, le contact avec un objet le projetait au milieu d'une scène de la vie de son propriétaire.

Pour certaines personnes, l'expérience de mort imminente a été de courte durée, parfois très vague mais rarement désagréable. Quelques-unes se sont senties isolées ou perdues dans un monde insolite, comme si on ne les attendait pas, comme si la lumière était peu rassurante. Dannion a eu deux EMI très claires et très distinctes, ce qui fait de lui un être hors du commun. Du personnage irascible qu'il était avant sa première électrocution, il est devenu reconnaissant envers la vie. Après sa première EMI, il a aidé des milliers de personnes à faire un passage heureux dans l'autre monde. Toujours dans son livre, il écrit :

> Le deuxième bilan de ma vie fut un moment fantastique. La première fois, j'avais eu l'amertume de voir se

dérouler une existence pleine de confusion, agressive. Cette fois-ci, c'était un festival de bonheur. Je serais resté avec plaisir. L'être de lumière devait connaître mes pensées les plus intimes parce qu'il anticipa mes désirs par une réponse télépathique : « Non, tu ne vas pas rester ici cette fois-ci. Tu dois retourner là-bas ! » Je n'ai pas protesté. J'ai seulement regardé autour de moi pour m'imprégner une dernière fois de ce lieu merveilleux et, l'instant d'après, j'étais de retour dans mon corps[30].

Un soir, il accompagna notre petit groupe au restaurant. Sans hésiter, il se dirigea vers une table tout au fond du restaurant, là où il n'y avait ni porte ni fenêtre. Étonnés, nous lui avons demandé pourquoi il avait choisi cet emplacement. Il répondit : « Une électrocution est très désagréable à recevoir et je voudrais passer mon tour aujourd'hui ! » Je n'avais pas remarqué que la pluie avait commencé à tomber et que quelques éclairs illuminaient le ciel...

J'ai eu la chance de lui poser la question suivante : « Alors que tu étais dans le coma, de l'autre côté, comment te sentais-tu ? Avais-tu de la peine de te voir ailleurs ? Avais-tu de la peine de voir tes proches atterrés par ton départ ? » Ma question sembla le surprendre. Il m'a regardé, pensif, et m'a répondu : « Je n'avais pas de regret ou de peine de l'autre côté, j'étais complètement bien, je ne voulais pas revenir ici sur Terre. Ma seule souffrance, si je peux m'exprimer ainsi, c'était de voir mes proches pleurer sur mon destin. Je ne comprenais pas qu'ils

---

30. *Ibid.*

puissent pleurer alors que j'étais si bien dans ce monde fascinant où j'apprenais tellement. Je n'avais pas de place pour la tristesse ou des émotions du genre et j'aurais aimé qu'ils soient heureux de mon départ pour ce voyage. » Cette affirmation m'a beaucoup fait réfléchir et a enrichi ma façon d'entrevoir la mort et le départ des êtres qui nous sont chers. Selon la conception de Brinkley, les survivants pleurent leurs morts parce qu'ils ne comprennent pas ce qu'est la mort. Ceux qui ont fait l'expérience de la mort connaissent la joie qu'elle procure et ne peuvent plus jamais pleurer le décès de leurs proches.

Décidément, nous avons encore beaucoup à apprendre sur la mort !

11

Revenir sur Terre encore et encore : la réincarnation

« La mort ressemble au sommeil ;
elle n'est qu'un intervalle entre deux incarnations. »

Ce jour-là, nous avions gravi un dernier passage étroit. De chaque côté, des pentes abruptes s'enfonçaient dans des vallées sauvages du Tibet. Malgré les 5000 mètres d'altitude, la Toyota Land Cruiser tenait le cap. Nous apercevions notre destination, un vieux monastère niché au flanc d'un escarpement. Il était déjà tard, le soleil s'était caché et le bleu du ciel tibétain contrastait avec les quelques sommets enneigés reflétant une lumière étincelante.

Après un souper frugal, nous avions pris un thé fait d'herbes et de lait de yak, ce grand ruminant à longue toison si précieux aux habitants de l'Himalaya. Pour clôturer la soirée, nous avions l'opportunité de participer aux chants mantriques qu'une trentaine de moines psalmodiaient, suivis d'une méditation. Il était temps de regagner le dortoir. La température avait vite chuté sous le point de congélation et, pour éviter la froidure, nous allions garder nos vêtements pour dormir. Ni vitre, ni étoffe, ni volet devant les fenêtres pour filtrer l'air froid des montagnes et de la nuit. Chacun s'enfonça sous 10 centimètres de couvertures, tentant d'y trouver quelque réconfort et chaleur, mais la circulation sanguine et l'oxygénation font défaut à cette altitude. Entre de trop courts moments de sommeil, les frissons et les maux de tête nous tiennent compagnie.

Quinze centimètres de neige tombèrent durant la nuit. Au moment du réveil, un blanc manteau recouvrait la vallée tout en bas. Le soleil de sept heures était déjà chaud dans la montagne et la neige se liquéfiait tranquillement. Dans la cour du monastère, je vis une personne assise. Face à elle, une dizaine de moines coiffés de leurs bonnets jaunes lui parlaient tour à tour. La scène m'intrigua. Pourquoi s'adressaient-ils à cette personne impassible, assise devant eux sur une petite chaise en bois ? Je levai les yeux au ciel et aperçus de grands oiseaux qui tournaient en rond, qui virevoltaient très haut dans les airs. Ils étaient plus d'une dizaine et certains semblaient faire plus de deux mètres d'envergure, si ce n'est trois ! Je m'approchai pour regarder cet être muet tout enrubanné de couleurs vives. Je ne pus distinguer son visage, car celui-ci était également emmailloté. Je réalisai qu'il avait cessé de bouger. J'appris qu'il était mort depuis quelques jours et que l'on préparait les dernières cérémonies pour que ce mort tibétain quitte le plan terrestre pour l'après-vie dans les meilleures dispositions possible. Les moines lui avaient expliqué, durant les quelques jours précédents, ce qui l'attendait de l'autre côté. Ce cérémonial est contenu dans le *Bardo Thödol*, livre tibétain que les moines récitent pour le défunt, qui décrit ses états de conscience et ses perceptions durant la période s'étendant de la mort à une prochaine incarnation. Dans le bouddhisme tibétain, comme dans l'hindouisme, le corps n'est qu'une enveloppe matérielle temporaire pour l'âme. Lorsqu'elle quitte le corps définitivement, la mort survient. L'individu sera soumis par la suite aux cycles de renaissances (samsara) jusqu'à sa libération. Je compris tout à coup la présence en si grand nombre des rapaces dans cette haute montagne où rien ne pousse, mis à part la pierre.

On coucha finalement le défunt sur une civière pour le transporter au sommet de la montagne, où les visiteurs n'étaient pas autorisés à se rendre. Seuls quelques moines composaient le petit cortège. Tout là-haut, quelqu'un était chargé de démembrer le corps pour que les oiseaux s'en ravitaillent. Cette pratique ancienne porte le nom d'inhumation céleste. Le moine chante autour du défunt alors qu'un autre découpe les parties du corps et les mélange parfois à de la farine, du thé ou du lait de yak. La chair est ensuite donnée aux vautours. Cette technique d'inhumation se rencontre également en Inde, dans certaines religions comme dans le zoroastrisme, où les corps sont placés dans une haute tour (la tour du silence) et laissés au soleil pour être dévorés par les vautours.

Cette anecdote de voyage montre bien à quel point la perception de la mort et du corps est différente selon les traditions. Pour les bouddhistes, de même que chez les traditions orientales en général, l'importance démesurée que nous accordons à notre corps n'a aucun sens. L'habitant véritable du corps est cette âme immortelle qui l'habite. Le corps n'est que le véhicule matériel de notre passage sur Terre. Identifier l'Homme à son corps équivaut à confondre la voiture… avec le conducteur.

LA MORT, UNE PORTE QUI S'OUVRE

Un jour, on questionna un sage japonais sur la pertinence de condamner à mort les grands criminels. Sa réponse fut des plus saisissantes : « La mort est un phénomène merveilleux. Il serait inopportun de récompenser des criminels de leurs mauvaises actions par une ordonnance de mort. » Cette réponse troublante de la part d'un sage présente la mort comme une libération et même un cadeau. À bien y penser, cette façon de voir n'est pas aussi exceptionnelle qu'on pourrait le croire… Il arrive fréquemment que des gens souffrants appellent le jour de leur départ comme une libération des tourments et des douleurs dont ils sont affligés. Nombreuses sont les personnes âgées amoindries par l'usure du temps qui demandent que « quelqu'un vienne les chercher ». Dans ces cas, la mort ne semble pas tant une porte qui se ferme qu'une porte qui s'ouvre sur… autre chose.

La plupart d'entre nous ont repoussé cette approche de la mort. Il est grand temps de se pencher sur la fin de vie et de l'examiner sous toutes ses coutures, de même que la vie qui la précède. Car il s'agit d'un continuum. La vie de l'Homme ne se termine pas après ces 80 ans passés sur Terre. La vie ne s'éteint pas simplement, comme lorsque nous tournons le bouton d'un appareil à *off*. La mort est bel et bien une porte qui s'ouvre sur un nouveau passage, un nouveau départ. Mais qu'y a-t-il donc derrière la porte ?

Je me suis toujours questionné sur ces jeunes prodiges qui arrivent, à six ans, à composer une symphonie ou à faire des peintures dignes des plus grands artistes. La génétique n'a rien à voir dans le talent de ces enfants géniaux. Comment peuvent-ils créer de tels chefs-d'œuvre ? Auraient-ils été des musiciens ou des peintres de grand talent dans une incarnation précédente ?

On remarque souvent que la personnalité des enfants est souvent à l'opposé de celle de leurs parents (vous savez, ce petit garçon qui refuse de se plonger le nez dans un livre alors que ses parents sont de fervents lecteurs ; ou cette petite fille qui joue du piano comme un ange alors que son père et sa mère ne connaissent rien à la musique). D'où viennent ces différences ? Quelle est l'origine des particularités de nos enfants ? Sont-ils vraiment NOS enfants, outre le fait qu'ils nous doivent leur conception ? Chacun a sa propre personnalité ; celle du frère est fort différente de celle de la sœur (vous pouvez probablement tous en témoigner !). La naissance d'un enfant n'a de nouveau que le fait de son arrivée parmi nous. Croire qu'il y a quelque chose derrière la porte pourrait expliquer nos différences tant sur le plan physique que sur celui du caractère.

Au Tibet, la lignée des dalaï-lamas est constituée d'une succession de réincarnations du tout premier dalaï-lama. Chacun des futurs dalaï-lamas est reconnu à partir de la prédiction de sa date de naissance et du lieu où il naîtra. Les jeunes enfants qui répondent à ces critères sont placés ensemble dans une grande salle. Celui qui va vers les jouets et les instruments de prédilection que l'incarnation précédente a utilisés est confirmé comme le nouveau dalaï-lama. Tenzin Gyatso, l'actuel dalaï-lama, est le 14e de la lignée.

LE KARMA : ACTION-RÉACTION

J'aimerais apporter quelques précisions sur le mot « karma », que nous employons à toutes les sauces. Il signifie « cause et effet » et désigne la somme de tous nos actes et, par extension, le cycle des causes et des conséquences liées à l'existence. Dès que nous entrons en existence, le karma débute. Dans les religions orientales qui ont adopté le concept de réincarnation, le mot « karma » désigne les effets cumulatifs des différentes vies d'un individu résultant directement de ses actions. Dans la Kabbale, le karma est associé à des épreuves que l'âme projette de vivre dans sa prochaine incarnation, épreuves que l'individu pourrait vivre comme bon lui semble.

Dans la Société théosophique, plus près de notre culture occidentale et qui, à mon avis, se rapproche davantage d'une conception scientifique des choses, le mot « karma » fait référence à la loi de la rétribution et à la loi de cause à effet, selon lesquelles il faut conserver l'harmonie et l'équilibre. Selon ces lois, on ne peut faire à autrui, à soi ou même à la planète tout ce que l'on veut sans conséquence, car la loi de la compensation réclame que les erreurs commises sur Terre soient enseignées et compensées sur Terre, dans une prochaine incarnation. La justice est précise et claire à ce chapitre et pas le moindre petit manquement ne sera oublié.

En somme, c'est le grand principe action-réaction. Si vous plongez votre main dans une cuve d'acide, vous allez subir un karma d'acide. Si vous la plongez au contraire dans un oreiller de duvet, vous aurez un karma de duvet. Cette loi opère partout sur la planète. C'est un concept qui peut être aliénant s'il n'est pas bien compris. Il faut outrepasser les dogmes religieux de punition et de récompense, et comprendre que c'est nous, simplement, qui créons notre réalité terrestre, que chaque action comporte une conséquence qu'il nous faut assumer. Tout ce que nous faisons, tout acte, a un effet. À nous de décider si cet effet sera celui de l'acide ou du duvet!

Prenons un exemple. Je vais au marché et je cherche une place pour garer ma voiture. Je trouve finalement un stationnement et, quelle chance, deux places côte à côte. Dans mon empressement, je gare la voiture à cheval sur les deux places. Je n'ai pas fait attention, j'étais pressé, j'avais la tête ailleurs... Peu importe, le geste est fait. J'effectue ma course et lorsque je reviens, quelqu'un attend pour une place de stationnement. Voilà qu'il m'engueule solidement. Rappel: aucune action n'est oubliée. Le karma veille toujours. Dans un cas comme celui-ci, il se manifeste immédiatement et j'ai droit à une bonne engueulade. Mais s'il n'y avait eu personne, le karma existerait-il tout de même ? Certainement, mais la relation de cause à effet serait moins évidente. Et mon exemple nettement moins parlant !

Tout est énergie. J'ai commis un abus (prendre deux places de stationnement) et un effet – probablement désagréable – se manifestera dans un futur quelconque. Autre exemple : si vous ne prenez pas soin de votre santé, vous en subirez les conséquences à plus ou moins brève échéance. Ce ne sera pas une punition mais un effet d'entraînement, par exemple une maladie. Il faut donc savoir comment les choses fonctionnent pour cesser d'avoir de mauvaises surprises. Plus nous sommes conscients, plus nous créons une réalité positive. Comme nous l'avons vu précédemment, les pensées sont créatives et, par conséquent, toute pensée et toute parole pourront également avoir une conséquence, comme les actes. Rien n'est laissé au hasard. L'univers nous donne toujours raison. Nos pensées et nos paroles engendrent des résultats.

Il ne faudrait pas tomber dans le piège des interprétations hâtives et même naïves. Ce n'est pas parce que vous souffrez d'un handicap que vous avez eu une vie monstrueuse dans une incarnation passée ! Il faut regarder le tableau dans son ensemble. L'âme qui s'incarne se soucie très peu de la sorte de vie qu'elle aura. Certaines âmes s'incarnent simplement pour expérimenter les effets d'une vie difficile. L'âme ne souffre pas, elle expérimente ; seule la personnalité subit. À mon avis, nous pourrions atténuer ou même neutraliser certaines actions karmiques par la prise de conscience de la situation et la mise en œuvre d'actions contraires. Ainsi la haine pourra être enrayée par le pardon et l'amour. La première chose à faire est de reconnaître nos torts et nos défauts, puis de les transformer. Rien n'est statique, tout se transforme et nous sommes les créateurs de notre vie.

Nous avons tous non pas un seul, mais plusieurs karmas : un karma personnel, un karma collectif en tant que citoyens du Québec ou de France, un karma planétaire en tant que terriens, etc. En tant que citoyen, vous serez considéré comme responsable de certaines des décisions prises par votre pays, ou même par celui d'à côté. Le Canada est parfois éclaboussé par les choix de son voisin du Sud.

Vous laissez les lumières de la maison allumées inutilement, vous achetez de la nourriture en telle abondance qu'il vous faut en jeter, vous vous procurez des vêtements que vous ne porterez jamais... Tout cela a nécessité quantité d'énergie. Dans un monde de consommation, nous produisons ainsi un karma qui empoisonne nos océans et la planète entière. Des températures à la hausse, des ouragans et des tsunamis plus fréquents, de nouvelles maladies qui surgissent : voilà le résultat d'une dysharmonie énergétique karmique.

Malheureusement, nous subissons les conséquences sans connaître la cause qui les a provoquées. Nous sommes depuis trop longtemps tenus dans l'ignorance. Nous ne savons pas ce qu'est la vie, on ne nous a pas appris la vie, et encore moins le pouvoir occulte de la pensée. L'Homme n'a pas été avisé des lois naturelles d'harmonie qui existent et ont toujours existé. Aveuglés par cette ignorance, nous sommes piégés et tombons malheureusement sous la loi karmique de réincarnation avec les conséquences qui s'ensuivent. Nous devons vivre et revivre le même scénario… jusqu'au jour où, enfin, nous vivons de la juste façon. Les liens karmiques permettent donc de parfaire les anciennes expériences mal vécues. Plus l'Homme évoluera, plus il sera conscient et plus il se libérera de ces chaînes qui l'attachent à son passé.

LA RÉINCARNATION : CERTITUDE, POSSIBILITÉ OU HÉRÉSIE ?

Voilà un autre sujet qui est loin d'être mort ! La réincarnation, c'est-à-dire le fait de se réincarner, de reprendre chair une fois de plus ou plusieurs fois dans un autre corps, fait partie de la plupart des grandes religions et des systèmes philosophiques. Nombre d'illustres penseurs tels Platon, Pythagore, Aristote, Shakespeare, Voltaire et Paracelse en font mention dans leurs écrits. Il s'agit d'un processus de continuation, où l'âme, après la mort du corps, prend conscience de ses faits et gestes au cours de l'incarnation terminée pour poursuivre une évolution terrestre ultérieure. Il est fondamental pour tous ceux qui n'ont pas atteint la libération – ou délivrance – de revenir à une existence terrestre déterminée par un karma antérieur. L'individu atteint la libération – ou délivrance – lorsqu'il a appris à vivre d'une façon détachée qui ne génère plus de karma.

Certains textes révèlent que la théorie de la réincarnation a été évoquée par les premiers chrétiens mais qu'à partir du deuxième concile, tenu en l'an 381, on en a minimisé l'importance. En effet, elle n'était plus considérée comme utile, le Christ étant reconnu comme le sauveur de tous, celui qui montre le chemin, qui indique la voie à suivre. La notion de réincarnation aurait été définitivement supprimée au cinquième concile de 553, soit le deuxième concile de Constantinople. On trouve toutefois, encore aujourd'hui, des traces de la réincarnation dans certains passages des Écritures : « Qui dit-on que je suis ? » demande Jésus à ses apôtres. Ceux-ci lui répondent qu'il est l'un des prophètes ayant vécu jadis. Dans les religions hindouiste et bouddhiste, la réincarnation est une réalité relativement moderne qui date principalement du Ve siècle après Jésus-Christ.

À la fin de XIXe siècle, divers courants ésotériques ont popularisé la réincarnation en Occident. Pour René Guénon, auteur français du XXe siècle d'ouvrages portant sur la métaphysique et l'ésotérisme, la réincarnation ne peut exister : c'est une impossibilité contraire à tous les enseignements des doctrines traditionnelles. À la mort, tout est dissous. Notre monde n'est qu'un monde parmi une infinité d'autres mondes actuellement inaccessibles. Les renaissances se feraient ailleurs. Quant à la Société théosophique et à la Société anthroposophique, elles placent la réincarnation au cœur de leur enseignement. La réincarnation karmique est une condition où la justice est en tout point précise. Pour plusieurs, la reconnaissance de la réincarnation est enseignée principalement dans le but de parfaire l'Homme et de mettre un terme à sa souffrance.

Nous n'avons pas, encore aujourd'hui, de preuves scientifiques formelles quant à l'existence de la réincarnation, puisque la science étudie essentiellement le côté matériel de la vie. Il faudra attendre encore quelques décennies pour en savoir davantage sur le sujet. Certitude pour les uns, possibilité pour certains, hérésie pour d'autres : la réincarnation existe-t-elle vraiment ? Croire ou ne pas croire en la réincarnation ne changera rien à la nature des choses, aux règles fondamentales de l'existence. La gravité a toujours existé, même avant que Newton ne puisse la démontrer. Tout ce qui est lancé en l'air retombera toujours, générant de la douleur si notre tête sert de piste d'atterrissage. Actuellement, plus de 90 % des gens croient en la réincarnation et en une après-vie. Même ceux qui se disent agnostiques commencent à prier en phase terminale de leur vie. La science pourra, un jour, prouver hors de tout doute l'existence de l'après-vie et de la réincarnation. Pour plusieurs individus ayant un degré de télépathie suffisamment puissant, la réincarnation est plausible et même certaine. De plus en plus, l'invisible deviendra une réalité concrète dans notre monde moderne, comme ce fut le cas dans de grandes civilisations passées.

Une chose est sûre toutefois : nous avons tout oublié de nos existences passées. C'est comme si notre monde physique était complètement hermétique à ce qui se passe de l'autre côté de la porte, comme si nous ne pouvions accéder à cette dimension du passé qui aurait été enregistrée puis cachée à notre vue. Mais combien de réincarnations avons-nous expérimentées ? Et combien devrons-nous en expérimenter avant d'atteindre la libération ? Il est généralement question de centaines, voire de milliers pour que l'individu parvienne à un degré de maturité et de sagesse qui ne générera plus de karma devant être neutralisé dans une autre vie. Pour certains êtres plus avancés sur le chemin de la conscience, quelques incarnations seulement suffisent pour qu'ils retournent dans les hautes sphères de la conscience. La réincarnation permet de parfaire l'évolution puisque nous réalisons à quel point l'imperfection humaine habite encore la planète.

Ultimement, croire ou ne pas croire à la réincarnation n'est pas important. L'essentiel est de développer le meilleur de soi et de l'apporter dans sa vie pour les autres. Si ces affirmations trouvent écho dans votre intuition éclairée, alors faites-les vôtres. Sinon, attendez le moment où elles seront prouvées. Nous sommes citoyens de la planète Terre et de l'univers, mais nous ne pouvons, ni ne pourrons percer tous ses mystères.

L'ÂME, NOTRE IMMORTELLE ÉNERGIE

Puisque nous parlons d'incarnation, il nous faut bien parler de l'âme… Mais qu'est-ce que l'âme ? Quelle est cette partie de l'Homme qui s'incarne ? Voilà un sujet délicat. Dans la plupart des religions, l'âme est ce principe spirituel, ce moi supérieur qui habite l'être humain (en contrepartie du moi inférieur, ou personnalité). Dans la plupart des courants chrétiens, elle est un principe de vie immortel. Plusieurs s'entendent pour dire que la mort du corps survient lorsque l'âme immortelle le quitte. Pour les hindous, l'âme, cette parcelle d'énergie, serait logée dans le cœur. Selon les sciences ésotériques, elle logerait au niveau de la glande pinéale, au centre du cerveau. Nous ne pourrions la voir même si nous tentions de disséquer le corps, puisqu'elle est un principe, une particule énergétique invisible.

En 1907, le docteur Duncan MacDougall a affirmé avoir mesuré le poids de l'âme à 21 grammes, en pesant six personnes avant puis après leur décès. Cependant, ses expériences imprécises sur un échantillon trop faible ne sont pas considérées comme une preuve sérieuse pour la science. L'établissement du fait de l'âme comme continuité sera, à mon avis, une réalité scientifique prouvée dans les prochaines décennies.

L'immortalité de l'âme est reconnue par les grandes religions. Elle trouve son point culminant, pour la grande majorité d'entre elles, dans la notion de réincarnation unique (résurrection) au ciel ou de réincarnations multiples sur Terre. Le bouddhisme tibétain estime que l'âme se confond avec les vies successives liées à la loi de cause à effet (karma). Nous voyons donc ici une notion de mémoire rattachée à l'âme, participant à ce vaste ensemble évolutif de la conscience à travers les mondes de l'univers. On pourrait donc définir l'âme comme étant un ensemble d'énergies mémorielles, un réservoir de mémoires qui nous suit de vie en vie.

Bien que le mot « âme » soit souvent synonyme d'esprit, il faut envisager ici l'Esprit comme étant un principe plus évolué que l'âme et dont l'âme émane. Nous pourrions nommer esprit une sur-âme (la Monade, selon la théosophe Alice Bailey). Il faut donc distinguer **la personnalité**, c'est-à-dire notre petit moi, qui est composé du corps physique dense, du corps émotionnel ou astral (nos émotions) et de notre corps mental (mental analytique). **L'âme** est ce principe spirituel qui anime tout être vivant. Elle est immortelle et sauvegarde toutes nos mémoires passées. Au-dessus de ces deux principes, il y a **l'esprit,** cette grande force intelligente et prépersonnelle, source ultime de l'Homme conscient et lumineux. Employé en métaphysique chez la théosophe Helena Blavatsky et chez Rudolf Steiner, fondateur de l'anthroposophie, le terme « Monade » (ou esprit) signifie l'étincelle divine, l'unité parfaite ou le principe absolu, la conscience libérée. Contrairement à ce qu'on croit parfois, la science, la religion et la spiritualité ne sont pas incompatibles ; le rôle de la science sera de prouver ou de clarifier avec preuve à l'appui l'existence de notions telles que l'âme et la réincarnation.

On a posé récemment au dalaï-lama la question suivante : qu'est-ce qui vous surprend le plus dans l'humanité ? Avec son sourire tranquille et ses petits yeux rieurs, celui-ci a répondu : « Les hommes... Parce qu'ils perdent la santé pour accumuler de l'argent, ensuite ils perdent de l'argent pour retrouver la santé... Et à penser anxieusement au futur, ils oublient le présent, de telle sorte qu'ils finissent par ne vivre ni le présent ni le futur... Ils vivent comme s'ils n'allaient jamais mourir et meurent comme s'ils n'avaient jamais vécu. » Un jour pourtant, après avoir vaincu le karma au moyen de milliers d'incarnations, chacun d'entre eux, libéré, parviendra à l'Esprit, à l'étincelle divine. Il faut garder espoir !

Conclusion

J'ai terminé mon premier livre sur ce concept cher à Socrate : « *Nosce te ipsum.* » Connais-toi toi-même. Nous tentons de définir l'Homme en scrutant l'infiniment petit avec nos microscopes, mais nos objectifs sont de trop courte portée et nous manquons de lumière. Nous nous tournons vers le ciel, nous allons sur la Lune, mais nous ignorons qui nous sommes, ce que nous avons à accomplir comme êtres humains, d'où nous venons et où nous irons un jour. Nous sommes remplis de connaissances, mais toujours exténués et trop souvent malheureux. Le plus grand problème de l'Homme, sa plus grande souffrance, est sans doute l'ignorance. L'ignorance de sa nature fondamentale, de ses origines et des lois invisibles, pourtant si présentes, est aussi son plus grand péché.

Un professeur de philosophie m'a dit un jour : « L'Homme s'avance avec l'assurance que lui donne son ignorance. » Platon décrivait l'ignorance de soi comme le plus grand virus de la décadence de l'empire grec : « Ce n'est pas tant les passions qui détruisent la cité, mais une terrible ignorance qui prend le visage d'une haute sagesse. » Dans le tourbillon du matérialisme incessant et abrutissant, nous nous étourdissons et oublions le principal. Ce n'est pas lorsque nous serons alités à attendre une mort prochaine que nous devrons commencer à questionner notre identité, notre rôle ou notre mission, notre fin. Lever le voile de l'ignorance sur notre vie et sur notre mort nous assurera la paix au moment de quitter ce monde.

Le règne de la peur de la mort prendra fin prochainement ; de plus en plus, nous serons sensibilisés à ce phénomène naturel et on nous enseignera à mourir. Plus la notion de la mort sera apprivoisée, plus le départ sera facile, pour ne pas dire désiré, le moment venu. La preuve que la conscience ne s'évanouit pas au moment de la mort fera disparaître pour de bon la peur de la mort et assurera une meilleure liaison entre le plan physique et le plan astral. La Terre pourrait être décrite comme un lieu d'expérimentation et d'évolution. À bien y regarder, il est dur, dur, d'être terrien avec tout ce qui se passe sur notre belle planète encore bleue.

Contrairement à ce qu'on rencontre sur Terre, misère, maladie, pauvreté, calamité et chagrin, aucune de ces souffrances n'est décrite de l'autre côté de la porte. Le monde de la mort que nous décrivent ceux qui n'ont fait qu'y passer semble des plus vivants, rempli d'amour et de sérénité. Alors, pourquoi en avoir si peur ? Il faut s'y résoudre : l'enfer n'existe pas, sauf ici. Le bien qui doit combattre le mal, le ciel qui s'oppose à l'enfer sont des créations humaines. Adhérer de façon obsessionnelle à de tels concepts est nuisible. Ce sont des croyances-racines qui devront un jour être extirpées.

Dans la vie, tout concourt toujours pour le mieux, pour le plein épanouissement, pour la créativité à l'infini. Il en est de même dans la création, dans la nature et dans notre corps. Ce corps n'essaie-t-il pas constamment de se tenir en bonne santé, en pleine homéostasie ? Nous n'aurons pas à nous reposer un jour au ciel, et encore moins à vivre le châtiment dans un enfer tout aussi hypothétique. L'Homme a tenté de tout rationaliser. Depuis, il ne fait que tourner en rond dans la confusion et le doute. L'intellect seul ne peut appréhender ce que l'intuition devine avec certitude.

L'Homme est lumière, rien de moins. Réussira-t-il un jour à dépasser les limites qu'il s'est lui-même imposées ? Voilà pourquoi la beauté de la vie – et de la mort – se doit d'être enseignée. L'être humain doit élever sa conscience et la conscience du monde dans lequel il vit. Ne trouvera-t-il pas la paix une fois qu'il se sera délesté de tout ce poids que le plan physique lui impose ? Il n'est pas facile d'adhérer à cette perspective peu commune de la mort, mais pourtant cette paix est bien présente chez les personnes ayant vécu une expérience de mort imminente.

L'après-vie ne semble pas un lieu d'oisiveté, mais un endroit où les âmes poursuivent un cheminement et acquièrent connaissance et sagesse afin que la vie soit encore plus créative. Ultimement, un jour, peut-être l'Homme parviendra-t-il à la pleine Lumière et pourra-t-il outrepasser la mort. Devenu immortel, délesté de ce corps biologique, il fera partie des mondes et des circuits universels, puisqu'il a tant à explorer dans ces univers infinis.

Bibliographie

BAASTI, Tarek, et coll. « The prolongation of the lifespan of rats by repeated oral administration of [60]fullerene », *Biomaterials,* vol. 33, nº 19, 2012, p. 4936-4946. DOI : 10.1016/j.biomaterials.2012.03.036.

BAILEY, Alice A. *Réfléchissez-y,* Genève, Lucis Trust, 1990.

BAULE, G., et R. McFee. « Detection of the magnetic field of the heart », *American Heart Journal,* vol. 66, nº 1, 1963, p. 95-96.

BEAUREGARD, Mario, et Denyse O'Leary. *Du cerveau à Dieu : plaidoyer d'un neuroscientifique pour l'existence de l'âme,* Paris, Guy Trédaniel éditeur, 2008.

BRINKLEY, Dannion. *Sauvé par les anges,* Paris, Robert Laffont, 1995.

BUETTNER, Dan. *The Blue Zones Solution : Eating and Living Like the World's Healthiest People,* Washington, D.C., National Geographic, 2015.

CRAWFORD, Allison. « Suicide chez les Autochtones au Canada », *L'encyclopédie canadienne,* 22 septembre 2016. En ligne : www.thecanadianencyclopedia.ca/fr/article/suicide-among-indigenous-peoples-in-canada.

EMOTO, Masaru. *Les messages cachés de l'eau : âme, eau, vibration, leurs fabuleux pouvoirs,* Paris, J'ai lu, 2014.

EMOTO, Masaru. *Le miracle de l'eau,* Paris, Guy Trédaniel éditeur, 2015.

Emoto, Masaru. *Le pouvoir guérisseur de l'eau*, Paris, Guy Trédaniel éditeur, 2012.

Fragasso-Marquis, Vicky. « La crémation perd en popularité au Québec », *La Tribune*, 2 août 2016. En ligne : www.latribune.ca/actualites/la-cremation-perd-en-popularite-au-quebec-4b203f8ec8d27af7c89e1ab74d84286a.

Gablier, Miriam. « Deepak Chopra : "La conscience est la clé" », *Inexploré*, 11 mai 2016. En ligne : www.inress.com articles entretiens deepak-chopra-conscience.

Goleman, Daniel. « New view of mind gives unconscious an expanded role », *The New York Times*, 7 février 1984, p. C-1. En ligne : www.nytimes.com/1984/02/07/science/new-view-of-mind-gives-unconscious-an-expanded-role.html.

Greenblatt, Joan, et Matthew Greenblatt. *Bhagavan Sri Ramana : A Pictorial Biography*, 2e éd., Tiruvannamalai (Tamil Nadu, Inde), Sri Ramanasramam, 1985.

Houston, M. C. « Nutraceuticals, vitamins, antioxidants, and minerals in the prevention and treatment of hypertension », *Progress in Cardiovascular Diseases*, vol. 47, no 6, 2005, p. 396-449.

Jeans, James. *The Mysterious Universe*, Cambridge (R.-U.), Cambridge University Press, 1931.

La Reberdiere, Lucile de. « Qu'est-ce qu'un égrégore ? », *Inexploré*, 8 septembre 2015. En ligne : https://www.inrees.com/articles/Egregore-conscience-partagee/.

Lampert, R., et coll. « Emotional and physical precipitants of ventricular arrhythmia », *Circulation*, vol, 106, no 14, 2002, p. 1800-1805. DOI : 10.1161/01.cir.0000031733.51374.c1.

McCraty, Rollin. *The Energetic Heart : Bioelectromagnetic Interactions Within and Between People*, Boulder Creek (Calif.), Institute of HeartMath, 2003. DOI : 10.12744/tnpt(6)022-043.

Malboeuf, Marie-Claude. « "Dieu guérira ton cancer" », *La Presse,* 17 août 2019. En ligne : www.lapresse.ca/actualites/sante/201908/16/01-5237679-dieu-guerira-ton-cancer.php.

Mark, S. D., et coll. « Lowered risks of hypertension and cerebrovascular disease after vitamin/mineral supplementation : The Linxian Nutrition Intervention Trial », *American Journal of Epidemiology,* vol. 143, nº 7, 1996, p. 658-664.

Marquis, Serge. *Pensouillard le hamster : petit traité de décroissance personnelle,* Montréal, Éditions Transcontinental, 2011.

Mittleman, M. A., et coll. « Triggering of acute myocardial infarction onset by episodes of anger », *Circulation,* vol. 92, nº 7, 1995, p. 1720-1725. DOI : 10.1161/01.cir.92.7.1720.

Moody, Raymond. *La Vie après la vie,* Laval, Guy Saint-Jean éditeur, 2015.

Robichaud, Valois. *La peur de vieillir : un pas vers l'euthanasie ?,* Montréal, Éditions du CRAM, 2011.

Simpson, Mona. « A sister's eulogy for Steve Jobs », *The New York Times,* 30 octobre 2011. En ligne : www.nytimes.com/2011/10/30/opinion/mona-simpsons-eulogy-for-steve-jobs.html.

Tremblay, Rémi. *Les fous du roi : il n'y a pas de crise du leadership, il n'y a que des leaders en crise,* Montréal, Éditions Transcontinental, 2004.

Remerciements

À ma dévouée mère, toujours souriante, qui va bientôt nous quitter pour « la porte d'à côté ».

À ma femme, Carole, pour son affection, sa tendresse, sa patience et sa complicité alors que je devais parfois apporter mon portable en vacances pour plonger non pas dans une mer turquoise, mais dans un petit écran noir ou une page blanche.

À mes enfants et petits-enfants pour leur présence et leur compréhension.

À mon coach de vie, E.K., qui a m'a permis de progresser dans ma compréhension des plans psychologique et spirituel à la base de notre réalité matérielle.

À mes éditrices, Pascale, Catherine et Liette, pour leur ouverture d'esprit et leur aide à faire de cet ouvrage un outil lumineux et accessible à tous.

Table des matières

Suivez-nous sur le Web

Consultez nos sites Internet et inscrivez-vous à l'infolettre pour rester informé en tout temps de nos publications et de nos concours en ligne. Et croisez aussi vos auteurs préférés et notre équipe sur nos blogues !

EDITIONS-JOUR.COM
EDITIONS-HOMME.COM
EDITIONS-PETITHOMME.COM
EDITIONS-LAGRIFFE.COM
RECTOVERSO-EDITEUR.COM
QUEBEC-LIVRES.COM
EDITIONS-LASEMAINE.COM

Imprimé chez Marquis Imprimeur inc. sur du Rolland Enviro.
Ce papier contient 100% de fibres postconsommation,
est fabriqué avec un procédé sans chlore
et à partir d'énergie biogaz.